THE STORIES OF THE KOSOADO WOODS

はじまりの樹《き》の神話

岡田 淳

理論社

ふたりは夫婦《ふうふ》。トマトさんはしょっちゅう「キスして」とポットさんにいう。なかがいい。

湯《ゆ》わかしの家《いえ》にすんでいる。湯《ゆ》わかしの下半分《したはんぶん》は土《つち》のなか、地下室《ちかしつ》になっている。

ポットさんは野菜《やさい》だけではなく花《はな》も育《そだ》てている。それってトマトさんをよろこばせるためかもしれない。

《ポットさん》

《トマトさん》

《スキッパー》

スキッパーが紹介《しょうかい》する

こそあどの森《もり》にすむひとたち

ガラスびんの家《いえ》にすんでいるのがスミレさんとギーコさん。スミレさんは薬草《やくそう》のことにくわしい。家《いえ》にはいるとふしぎな匂《にお》いがする。

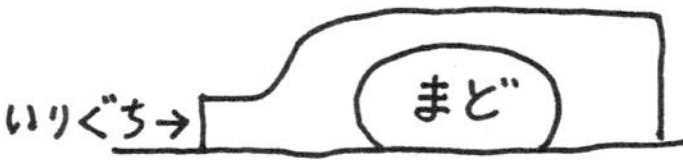

《スミレさん》

ギーコさんはスミレさんの弟《おとうと》で大工《だいく》さん。自分《じぶん》がつくったものには というマークをつける。

《ギーコさん》

湖《みずうみ》の島《しま》にある巻貝《まきがい》の形《かたち》の家《いえ》にすんでいる。
島《しま》は岸《きし》からほそい通路《つうろ》で歩《ある》いてわたれる。

ヨットのそうじゅうがじょうずで、ぼくもおしえてもらった。家《いえ》のなかはおもちゃがいっぱいあってかたづいていない。なんでもあそびにする。自分《じぶん》たちの名前《なまえ》も、気分《きぶん》でかえてしまう。それから、いろんなことをおもいつく。

《ふたご》

ぼくはスキッパー。

ウニをのせた船《ふね》のような形《かたち》の家《いえ》、ウニマルにすんでる。

博物学者《はくぶつがくしゃ》のバーバさんといっしょにね。バーバさんはいろんなことを知《し》ってるんだ。

ウニマルのなかには、本《ほん》や化石《かせき》や望《ぼう》遠鏡《えんきょう》と、おもしろいものがいっぱいあるから、バーバさんが旅《たび》に出《で》たあとも、じゅうぶんひとりでたのしめるってわけ。

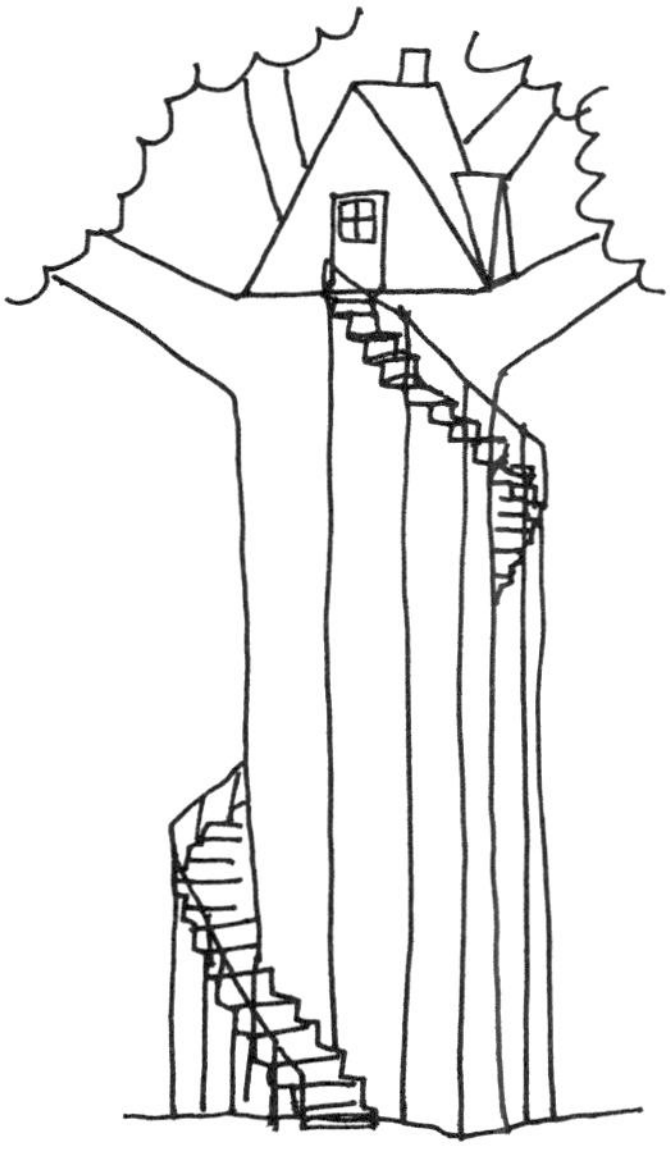

《トワイエさん》

トワイエさんは作家《さっか》。ウニマルにもトワイエさんがかいた本《ほん》がある。

木《き》のうえの屋根裏部屋《やねうらべや》にすんでいる。部屋《へや》にはラッパのついた蓄音機《ちくおんき》があって、ぼくは音楽《おんがく》をきかせてもらったことがある。

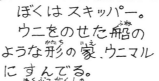

もくじ

絵◎岡田　淳

1

しゃべるキツネ

九月になるのを待《ま》ちかねたように、博物学者《はくぶつがくしゃ》のバーバさんは旅《たび》に出ました。なんでも、大昔《おおむかし》のひとが住《す》んでいた跡《あと》が世界のあちこちに残《のこ》っているので、それを調《しら》べてまわるのだそうです。

「三《さん》カ《か》月《げつ》ほどでもどるから」といってバーバさんがでかけると、ウニマルは、いつものようにスキッパーひとりになりました。

バーバさんがいなくなって二日目《ふつかめ》の夜のことです。

ふだんならもうベッドにはいっている時間なのに、スキッパーは広間《ひろま》でいすにすわり、机《つくえ》にもたれていました。眠《ねむ》る気分《きぶん》になれなかったのです。目がさえて、ウニマルのまわりで鳴《な》く虫の声や、遠《とお》くの音が気になりました。

バーバさんが旅《たび》に出たからかな、と思いました。いつだってひとり暮《ぐ》らしをはじめると、すこしのあいだ、どこがどうとはいえないけれど調子《ちょうし》がくるうのです。

「二、三日すれば、なれるさ」

スキッパーは声に出していってみました。いってみると、そうではない気がしました。この感《かん》じは、バーバさんがでかけてしまったせいではなく、もっと別《べつ》の……、そこまで考《かんが》えて、この感《かん》じにはおぼえがあるぞと思いました。思いだすために、ウニマルの天井《てんじょう》をみあげて、まゆをよせてみました。まるい天窓《てんまど》がいくつかあり、そのガラスに、広間《ひろま》のあちこちがうつっています。外は夜なのに室内《しつない》は机《つくえ》の上のランタンで明《あか》るいからです。

はっと思いあたりました。

「嵐《あらし》だ……」

そうです。このおちつかない、心がさわぐ、空気がぴりぴりしている感《かん》じは、嵐《あらし》がやってくるときの感《かん》じでした。

スキッパーは机《つくえ》の上のランタンをとると、書斎《しょさい》の気圧計《きあつけい》を見にいきました。もしも嵐《あらし》が近《ちか》づいているのなら、気圧《きあつ》が下《さ》がっているはずです。そして嵐《あらし》が近《ちか》づいているのなら、ウニマルのとげに干《ほ》してある洗濯物《せんたくもの》をとりいれなければなりません。ところが気圧計《きあつけい》の針《はり》は、安定《あんてい》していました。

首をひねったとき、スキッパーのいい耳が、虫の声を消《け》しながらウニマルに近《ちか》づいてくる動物の足音をとらえました。

なにかを追《お》いかけるか、なにかに追《お》われるかしているようで、あっというまに足音は近《ちか》づいて、止まりました。止まったかと思うと、

「スキッパー、スキッパー」

と、声がきこえました。へんだぞ、と思いました。近《ちか》づいてきたのは、人間の足音ではなかったはずです。それに、いままでにきいたことのない声でした。

「急《いそ》いでるんだ……、スキッパー、いるんだろ？　手をかしてくれ」

ことばとことばのあいだで、せわしく短《みじか》い息《いき》をつくのがききとれます。しかし、こんな夜に、どこのだれが、どういう用《よう》があるというのでしょう。いや、それよりもどうして人間の足音ではなかったのでしょう。

スキッパーはランタンを手にしたまま階段《かいだん》をあがって、すこし用心《ようじん》をしながらドアをあけ、ウニマルの甲板《かんぱん》に出ました。木々《きぎ》の上に昇《のぼ》った満月《まんげつ》が、あちこちで虫の鳴《な》き声《ごえ》をひびかせる広場《ひろば》を照《て》らしています。船《ふな》べりから、声がきこえたあたりをのぞきました。ランタンで照《て》らすまでもなく、月の光でよく見えます。ひとの姿《すがた》はありません。かわりにいっぴきのキツネが、月光《げっこう》のかげんか、妙《みょう》にしっぽを輝《かがや》かせて、せわしい息《いき》をつきながらこちらをみあげていました。

近《ちか》づいてきた足音はこのキツネにまちがいありません。では、あの声は、とほかのところをさがそうとしたとき、

「すまないが、すぐにきてくれ」

と、そのキツネがいいました。口が動き、そこから声がきこえたのです。

スキッパーは目をこらしてキツネをみつめました。キツネがしゃべったなんて、信《しん》じられません。けれどキツネは、またいいました。

「説明《せつめい》はあとからする。とにかくきてくれ」

まちがいなくキツネがしゃべっています。スキッパーは片手《かたて》にランタンを、もういっぽうの手に船《ふな》べりをつかんだまま、キツネをみつめました。

返事《へんじ》もできないスキッパーに、キツネはじれて、早口《はやくち》でいいました。

「はじめて出会ったキツネの、それもヒトのことばをしゃべるキツネのいうことを信《しん》じてくれってのも、ちょいと無理《むり》のある話だ。そいつはわかってる。そいつはわかってるんだが、たのみをきいてもらうわけにはいかんだろうか」

「で、でも……」

スキッパーは、やっとそれだけいえました。

「おれになにかたずねたいことがあるんだろ。その質問《しつもん》にはあとでこたえる。いまは時間がない。急《いそ》いでるんだ。おれといっしょに、すぐにきてほしいんだ」

キツネは、もう待《ま》ちきれないというように、前足で足踏《あしぶ》みをしました。

「す、すぐって、どこへ行くの？」

「森のなかさ」

「森の……、なか……？」

「そう、森のなか」

夜の森にひとりではいってはいけないと、バーバさんにいわれているのを、スキッパーは思いだしました。けれどキツネが続《つづ》けました。

「森のなかに、死《し》にそうな子がいるんだ」

――死《し》にそうな子……！

スキッパーはびっくりしました。

「スキッパーが行けば助《たす》かるんだ」

――ぼくが行けば、助《たす》かる……！

「まさか、見殺《みごろ》しになんてしないだろ？」

――見殺《みごろ》しに……？

「たのむよ。すぐそこなんだ」

キツネは暗《くら》い森にむかって二《に》、三歩《さんぽ》進《すす》み、ふりかえると、スキッパーを見て、

「さあ」

といって、うなずいてみせました。

おもわずスキッパーもうなずきかえしました。

急《いそ》いでくつをはきかえると、ランタンの持《も》つところを口にくわえ、うしろむきにウニマルのはしごをおりました。夢《ゆめ》のなかにいるみたいな気分《きぶん》でした。

キツネはスキッパーが地面《じめん》におりたつのを待《ま》ちかねたように、歩きだしました。

月の光で明《あか》るい広場《ひろば》の草地《くさち》から木立《こだち》のなかにはいると、急《きゅう》に暗《くら》くなりました。暗《くら》くなったとたんにキツネのしっぽが明《あか》るく輝《かがや》いているのがわかりました。しっぽが光るキツネなんて、きいたことがありません。いったいどうなっているんだと思いながら、スキッパーはあとを追《お》いました。

光るしっぽは、小走《こばし》りに行くキツネの歩調《ほちょう》にあわせ、まっ暗《くら》な森のなかをゆれて、進《すす》んでいきます。スキッパーはおくれないように、ランタンを持《も》つ手をつきだして、足元《あしもと》と前のしっぽを見ながら、ひっしについていきました。キツネとスキッパーの歩くところだけ虫の声が止まります。

スキッパーがおくれると、キツネはしばらく待《ま》ってくれるようでした。でも追《お》いつくとすぐにゆれて離《はな》れていきます。よほど急《いそ》いでいるようなのです。スキッパーは、ランタンを持《も》つ腕《うで》がつかれてきて、二度《ど》三度《ど》持《も》ちかえました。

いつのまにか、まわりが白っぽくにじんでいるようにみえてきました。霧《きり》が出ているのです。それが急《きゅう》に濃《こ》くなりました。気をつけないと前を行くキツネを見失《みうしな》う、そう思ったとたんに、しっぽの光は霧《きり》のなかにとけこんでしまいました。いままで続《つづ》いていたはずの虫の鳴《な》き声《ごえ》もきこえなくなっています。

スキッパーは立《た》ち止《ど》まって、目をこらしました。ランタンのまわりだけがぼうっと黄色くみえます。ランタンの光をかくしたほうがキツネの光をさがしやすいかと、からだのうしろにランタンをまわしてみました。自分《じぶん》の影《かげ》が空中《くうちゅう》の霧《きり》を暗《くら》くするだけです。

「ねえ、どっち?」

大きな声を出してはいけないような気がして、小声《こごえ》でたずねてみました。うれしいことに声はすぐ前からもどってきました。

「そのまま、まっすぐ」

それほど離《はな》れていないようです。スキッパーはゆっくりと進《すす》みました。

おや、と思いました。踏《ふ》みだす足の地面《じめん》にふれる感触《かんしょく》が、いままでとはちがってきたのです。やわらかく、といってもぬかるんでいるふうではなく、ふかふかと、まるで生きたけものの背《せ》を歩いているようです。空気も変《か》わったようでした。夏のあたたかさを残《のこ》したままの夜の空気が、緑の匂《にお》いが不自然《ふしぜん》に濃《こ》い、重《おも》く冷《つめ》たい空気になりました。それから音です。遠《とお》くからざわめくような音が強くあるいは弱く、波《なみ》のようにきこえてきます。

五、六歩《ろっぽ》進《すす》むと、キツネのしっぽとはちがう光が点々《てんてん》とあらわれました。そして急《きゅう》に霧《きり》が晴《は》れると、光は、燃《も》えつきようとしている、けれどあたりを充分照《じゅうぶんて》らしている四本《よんほん》のかがり火《び》だということがわかりました。

きそく正しくならべられたかがり火《び》のあいだに、キツネは立《た》ち止《ど》まっていました。そのむこうは、かがり火《び》に照《て》らされて、壁《かべ》のような崖《がけ》がたちはだかっているようにみえます。こんなところに崖《がけ》なんてあったかな、それに、いったいだれが火をたいているんだろうと、ふしぎに思いながら、スキッパーは、キツネのとなりまで進《すす》みました。

「あの子を助《たす》けてやってほしいんだ」

キツネが崖《がけ》を見ていいました。スキッパーには、キツネのいっていることがわかりません。

「あの子……？」

「その大きな木にくくりつけられているだろ」

「その……、大きな木……？」

崖《がけ》のことをいっているんだろうかと、スキッパーはもうすこし前へ進《すす》みました。霧《きり》は完全《かんぜん》に晴《は》れ、崖《がけ》は……。それは崖《がけ》ではありませんでした。巨大《きょだい》な木でした。

巨大《きょだい》な木の、根《ね》のあたりを見て崖《がけ》だと思っていたのです。

それが木だとわかった瞬間《しゅんかん》、からだじゅうの力《ちから》が抜《ぬ》けていくような気がしました。立っているのがやっとでした。おそるおそるという感《かん》じでみあげると、幹《みき》は暗闇《くらやみ》にとけこんで、どこまで続《つづ》いているのかわかりません。けれど暗闇《くらやみ》のむこうに巨大《きょだい》な枝《えだ》と茂《しげ》みがあるようでした。さっきからきこえているざわめきは、はるか上空《じょうくう》の枝《えだ》や葉《は》がたえまなくふれあう音だったのです。

ピラミッド型《がた》にひろがる根元《ねもと》のあたりは、ウニマルよりもはるかにはるかに広く、地面《じめん》から山脈《さんみゃく》のようにうねうねとのびあがり、そこここでこぶになってもりあがり、深《ふか》く切れこみ、つる植物《しょくぶつ》はもちろん、何本《なんぼん》もの別《べつ》の木さえ生《は》えていました。

見えている根元《ねもと》のあたりだけでも、考《かんが》えられない大きさです。でもスキッパーを立ちすくませたのは、大きさだけではありません。目に見えはしませんが、木から出てくるとてつもない力《ちから》のようなものが、あたりにたちこめていたのです。

「さあ、行こう」

キツネの声に、はっとしました。キツネは尾《お》を光らせて、大きなうねの木の根元《ねもと》をはねるように登《のぼ》っていきます。それを目で追《お》って、スキッパーは、「あ」と声を出しました。

〈あの子〉が見えたのです。

充分《じゅうぶん》かがり火《び》の明《あか》るさがとどく範囲《はんい》でした。木に心をうばわれて、見えていたはずなのにわからなかったのです。

地面《じめん》からすこし登《のぼ》ったところ、といってもウニマルの船《ふな》べりよりはずっと高いところに、髪《かみ》の毛《け》の長い子がひとり、頭をがくりと前にたれ、両手《りょうて》と両足《りょうあし》をひろげて立っているようにみえました。手と足は縄《なわ》でひっぱられているようです。

キツネがその子のそばまで行って、はやくこいというように、こちらをふりむきました。

あわててスキッパーも登《のぼ》っていきました。巨大《きょだい》な木の根元《ねもと》は斜《なな》めにひろがっています。ランタンを片手《かたて》に持《も》ったままでも登《のぼ》れました。

そでのない服《ふく》を着《き》た子は、手足をひろげ、なかば木の幹《みき》にもたれ、なかば手首の縄《なわ》につるされて、がくりとうなだれ、動きません。死《し》にそうな子、とキツネがいっていたのを思いだしました。

「……だいじょうぶ?」

そっと声をかけてみました。きこえているのでしょうか。返事《へんじ》がありません。長い前髪《まえがみ》で顔がかくれていて、表情《ひょうじょう》がわかりません。でも肩《かた》が上下《じょうげ》しています。生きているのです。

「急《いそ》いだほうがいい」キツネがささやくようにいいました。「その縄《なわ》をほどいてくれ。おれにはどうしてもできなかったんだ」

スキッパーはランタンの持《も》つところをくわえ、手首の縄《なわ》に手をかけました。そのとたんにその子は息《いき》をのみ、縄《なわ》で動けないのに、逃《に》げるようにからだをねじりました。キツネが後足《うしろあし》で立ちあがり、前足をその子のからだにかけ、髪《かみ》の毛《け》でかくれた顔をじっとみあげました。するとその子のからだから、ゆっくりと力《ちから》が抜《ぬ》けていくようにみえました。けれどもう首はうなだれず、髪《かみ》の毛《け》のむこうからキツネとスキッパーをのぞいているようでした。

キツネはその子のからだから前足を離《はな》すと、スキッパーに「さあ」とうながしました。

スキッパーはもういちど、手首の縄《なわ》に手をかけました。こんどはその子はじっとしています。縄《なわ》は手首のところでいちど結《むす》ばれ、二重《にじゅう》になって上の枝《えだ》にひっぱられていました。手首の結《むす》び目がほどけると、縄《なわ》から手が抜《ぬ》けるでしょう。

その結《むす》び目がけっこうかたく、スキッパーは苦労《くろう》しました。ランタンをくわえている口のなかが金属《きんぞく》の味《あじ》でいっぱいです。けれど、とつぜんこつがわかりました。かんたんでした。結《むす》び目をとかなくても、手首にかかっている縄《なわ》の輪《わ》をひろげられる結《むす》びかただったのです。両足首《りょうあしくび》ともう片《かた》いっぽうの手首の縄《なわ》も、つぎつぎにゆるめて手と足を自由《じゆう》にしてやりました。

スキッパーがランタンを手に持《も》ちなおしたとき、まっ暗《くら》な幹《みき》の上のほうをしきりにみあげていたキツネが、おし殺《ころ》した声でいいました。

「急《いそ》いだほうがいい」

それだけしかいいませんでした。さっきと同《おな》じことばでしたが、スキッパーはぞくっとしました。その子も同《おな》じように感《かん》じたようでした。キツネが斜面《しゃめん》をおりはじめたのに続《つづ》こうとして、その子がよろめきました。ずっとくくりつけられていて、からだがうまく動かないのかもしれません。その子のすぐ下にいたスキッパーが、あやうくささえました。その子の腕《うで》がスキッパーの肩《かた》にまわった、そのままのかっこうで、スキッパーは片手《かたて》でその子をささえ、もう一方《いっぽう》の手でランタンを持《も》って、不安定《ふあんてい》な斜面《しゃめん》をおりていきました。そのとちゅうで、登《のぼ》るときには気がつかなかったのですが、幹《みき》のくぼんだところにたくさんの木《き》の実《み》と果物《くだもの》が置《お》かれているのが見えました。

ようやく地面《じめん》に着《つ》きました。スキッパーの胸《むね》はどきどきしていました。なにかに追《お》われているような気がしてなりません。その子が息《いき》を荒《あら》くしているので、なおさら不安《ふあん》になります。目の前の光るしっぽを見て、ふたりはそのままのかっこうで、もつれるように走りました。

かがり火《び》の列《れつ》を越《こ》え、目の前にふたたび濃《こ》い霧《きり》があらわれました。急《きゅう》に地面《じめん》がかたくなると、霧《きり》がうそのように晴《は》れていきました。月の光があたりを満《み》たし、ざわめく音が消《き》え、空気がしっとりとあたたかくなりました。キツネとふたりは立《た》ち止《ど》まり、息《いき》を大きくつきながら、ふりかえりました。

「木が…、ない……！」

スキッパーがかすれ声《ごえ》でいいました。

ささえていた子の力《ちから》が抜《ぬ》けて、ふたりいっしょにたおれそうになるのを、スキッパーはよろめきながらこらえました。

月の光がくっきりと照《て》らしだし、静《しず》まりかえった森の広場《ひろば》です。あの巨大《きょだい》な木もかがり火《び》も、すっかり消《き》えていました。

このときになってはじめて、そこが、スキッパーにはみおぼえのある広場《ひろば》だということがわかりました。ウニマルと、トマトさんとポットさんの湯《ゆ》わかしの家と、ふたごの巻貝《まきがい》の家とから、それぞれに同《おな》じくらいの距離《きょり》にある広場《ひろば》でした。

ひとつふたつ、虫の声がおこると、広場《ひろば》は虫の鳴《な》き声《ごえ》でいっぱいになりました。スキッパーはいまあったことが信《しん》じられませんでした。でもここには助《たす》けだした子がいて、しっぽの光るキツネがいるのです。

「じゃ、とにかく、ウニマルにもどるか」

キツネがいいました。そうです。このキツネはしっぽが光るだけではなく、ヒトのことばをしゃべるのです。

――いったいどうしてヒトのことばをしゃべるんだろう。どうしてスキッパーやウニマルという名前を知っているんだろう。あの大きい木はなんだったんだろう。この子はだれなんだろう。どこからきたんだろう。どうしてくくりつけられていたんだろう。

光るしっぽのキツネのあとについて、助《たす》けた子をささえて歩きながら、スキッパーの胸《むね》のなかにはつぎつぎに疑問《ぎもん》が浮《う》かびあがってきます。

ウニマルに近《ちか》づくと、別《べつ》のことが気にかかりはじめました。このあとどういうことになるのか、ということです。

そんなスキッパーの気がかりもしらないようすで、キツネははねるように、ウニマルのはしごをのぼっていきました。

2

からだじゅうで呼《よ》びかけること

ウニマルの広間《ひろま》で、スキッパーはまずその子を椅子《いす》にすわらせ、天井《てんじょう》からロープでつりさげているランプに灯《ひ》をつけました。ふりかえると、その子は椅子《いす》からおりて、床《ゆか》の壁《かべ》ぎわにうずくまっていました。

「だいじょうぶ？　どこか痛《いた》い？」

スキッパーはたずねてみました。その子はずっとだまっています。長い髪《かみ》にかくれて表情《ひょうじょう》がわかりません。見えているのはくちびるです。くちびるはぎゅっとむすばれています。そして両腕《りょううで》で自分《じぶん》を抱《だ》き、ひざを立て、壁《かべ》に背《せ》をおしつけてうずくまっているのです。

「なにか、飲《の》む？」

だまっています。

「おなか、すいてない？」

反応《はんのう》がありません。しゃべれない子なんだろうか、と思ったとき、ウニマルのなかのようすでもさぐるみたいに歩きまわっていたキツネがいいました。

「しばらくそのままにしておいてやったほうがいいぜ。いまはなにも考《かんが》えられないんだ。この女の子は」

「女の子……？」

スキッパーはおどろきました。キツネがそういうまで、この子が女の子か男の子かなんて考《かんが》えてもいなかったからです。

「ところでおれには、なにか飲《の》むかとか、おなかがすいてないかとか、たずねちゃくれないのかい？」

キツネはからかうようにいいました。スキッパーがあわててたずねると、水と肉《にく》っぽいものがあればうれしいといいました。そこでスキッパーは、コンビーフの缶《かん》づめをあけ、皿《さら》に盛《も》って出しました。水は、底《そこ》の深《ふか》い皿《さら》に入れました。

「ふうん。こいつがコンビーフっていうものか」

キツネはすこしにおいをかいでから、口に入れました。ひと口めをのみこんでから首をひねりました。

「こいつは塩《しお》をきかせすぎてやしないかい。からだによくないんじゃねえかなあ」

そんなことをいいながらも、おしまいまでていねいに食べ終《お》わり、水をごくごく飲《の》みました。

スキッパーはいすにすわってそれをじっと見ていました。

「さて、なにから話すかな」

食べ終《お》わったキツネは、口のまわりを舌《した》でなめて、スキッパーをみあげました。質問《しつもん》にこたえてくれるという時間になったようでした。

「この子は、どうして木に……　いや、それよりさきに、あの消《き》えてしまった大きな木は、なんだったの？」

「そうだな。その……、いってみれば、おれのしりあいなんだよ」

キツネは、歯切《はぎ》れのよくない話しかたをしました。

「しりあい……？」

スキッパーはききかえしました。

「ああ」キツネはうなずきました。「もっとも、姿《すがた》を見たのは今日《きょう》がはじめてだったんだけどな。おれだって、あいつがあんなにでかいとは思ってもみなかった。あいつがやってきたときにははたまげたぜ」

「しりあいで……、きょうはじめて会って……、木がやってきた……？」

いよいよわからなくなりました。

「ああ。その、つまり、かいつまんで話すと、こういうことなんだ。ほら、おれってちょっとかわってるだろ？　ヒトのことばをしゃべって、しっぽが光るキツネなんて、きいたことないだろ。おれはホタルギツネっていうんだけど、おれ以外《いがい》のホタルギツネに会ったことがないんだ。どうやらおれしかいないんだな。仲間《なかま》ってもんがない。だからおれは、ともだちというか、わかりあえるやつがほしかった。おれは、どこかにいるはずのわかりあえるやつを、からだじゅうで呼《よ》びながら暮《く》らしていたのさ」

「からだじゅうで、呼《よ》ぶ……？」

「そうさ。声に出して呼《よ》ぶっていうんじゃなしに、鼻《はな》のさきからしっぽのさき、足のうらから背《せ》中《なか》まで、からだじゅうで、呼《よ》ぶんだよ。そういうふうに呼《よ》べばいいって教《おし》えてくれたやつがいたんだ。

とにかくおれはそういうふうに、からだじゅうで、〈お――い〉って呼《よ》びながら暮《く》らしていたのさ」

「それ、心のなかで呼《よ》ぶってこと？」

「まあ、そういってもいいかもしれんが、からだじゅうを心にして呼《よ》ぶわけだ」

「ふうん」

スキッパーは話にひきこまれていきました。

「するとあるとき、返事《へんじ》がきたんだ。おれの呼《よ》びかたとはちがう〈お――い〉って、声がきこえた気がした。かすかな声でな。どういえばいいんだろう、とにかく耳からきこえてくる感《かん》じじゃない。そのうちに、その声がだんだんはっきりきこえるようになってきた。そればかりか、その声はおれと呼《よ》びかけあっていることがわかってきた。おれが呼《よ》ぶと、むこうがこたえる。むこうが呼《よ》んでくると、おれがこたえているってふうにな。

おれとそいつは〈お――い〉ってことばだけで呼《よ》びかけあっていたんだ。うれしかったな。もうおれはひとりぼっちじゃないって感《かん》じさ。

おたがいに呼《よ》びあうことになれてくると、こんどはそいつがだれなのか知りたいと思いだした。そしてそいつにおれのことを知ってほしいと思いだした。そこで別《べつ》のことばを送《おく》ることにしたんだ。

〈おれは、ホタルギツネだ〉

すると返事《へんじ》がかえってきたんだよ。

〈わたしは、木だ〉

おれはよろこんだ。返事《へんじ》がかえってきたからさ。それからびっくりもしたよ。呼《よ》びあっていた相手《あいて》が木だったからな。いったいどんな木だろう。おれはすぐにたずねたな。

〈どこに生《は》えているのか教《おし》えてくれ。会いにいく〉

木の返事《へんじ》にはもっとびっくりした。

〈ホタルギツネの声が、時間を超《こ》えてわたしにとどいていることを、ホタルギツネは知っているか。わたしの声が、時間を超《こ》えてホタルギツネにとどいていることを、ホタルギツネは知っているか。わたしは、ホタルギツネの生きている時代《じだい》の木ではない。わたしは、ホタルギツネよりもずっと前の時代に生きている木なのだ〉

と、まあこういうんだよ。もちろんおれには信《しん》じられない話だったさ。

信《しん》じられない話だったが、木がそういうんだから、そういうことにしておこうとおれは思った。それからというもの、おれと木はいろんなことを語《かた》りあった。といっても、おれたちはそれほどおしゃべりじゃなかった。おれたちの会話《かいわ》ってのは、木のほうはどうだかしらんが、おれにはずいぶんつかれるんだ。ちょいと長い話になるとぐったりつかれて、そのあと四、五日話はしないってふうさ。それでもおれは話したかった。木だけが話し相手《あいて》だったんだ」

キツネはそこまで話すと、皿《さら》の水を飲《の》みました。スキッパーはいすから立って、水をたしてあげました。でも、ひとこともしゃべりませんでした。話のじゃまをしたくなかったからです。

「そして今晩《こんばん》のことさ。とつぜん木がおれにいってきたんだ。

〈ホタルギツネ、力《ちから》をかしてくれ。ニンゲンの女の子のいのちを助《たす》けてやりたい〉

力《ちから》をかせったって、別《べつ》の時代《じだい》に生きてるってのに、どうすりゃいいんだって、おれはたずねた。

すると、

〈いまから、そこへ、行く〉

っていうんだよ。ええ？　行くとか来るなんてのは木のセリフじゃねえって思ったね。

〈どうやって、くるんだ？〉

たずねると、こうだ。

〈できるだけ広いところのはしにいて、わたしを呼《よ》び続《つづ》けてくれ。声をたよりに行く〉

つまり、昔《むかし》の時代《じだい》から時間を超《こ》えて、この時代《じだい》にくるっていうんだ。いよいよ信《しん》じられんだろ。けれど木がそういうんだから、そういうことにしてみようと、おれは思ったわけさ。そこであの広場《ひろば》のはしで、おれは〈お――――い〉って呼《よ》び続《つづ》けたんだ。

呼《よ》び続《つづ》けていると、たしかに木が近《ちか》づいてきているって感《かん》じがしてきた。いや、遠《とお》くに見えるとか音がきこえるとかってことじゃないんだ。まわりはなにも変《か》わらない。けれど全身《ぜんしん》がぴりぴり、ぞくぞくしてきて、そう、ちょうど嵐《あらし》がやってくる前のような心持《も》ちになったのさ」

スキッパーは、あ、と口をあけましたが、話をさえぎりはしませんでした。

「とつぜん、あいつがあらわれた。なにもなかったところに、ずどーんと出てきたんだ。いや、おどろいた。急《きゅう》に出てきたのにもおどろいたが、それよりもあのでかさにはな。おれはもうほとんど腰《こし》を抜《ぬ》かしそうだったぜ。

〈やあ、ホタルギツネ〉

と、あいつがいった。からだのなかにびんびんひびく声さ。目の前にいるんだ。

〈……やあ、木〉おれのほうは、勇気《ゆうき》をふるうって感《かん》じさ。大きさにどぎもを抜《ぬ》かれていたんだよ。すると、あいつがいったね。

〈この子を、たのむ〉

この子って、どの子だ、とおれは思った。さっき、スキッパーだってそうだったろ。木がでかすぎてわからないんだ。ようやくみつけたときには、リスみたいに小さい子にみえた。抜《ぬ》けそうな腰《こし》でその子に近《ちか》づいていくと、ふつうの大きさの子にみえてきたけれどな。

おれがやってきたのに気づいて、女の子はとつぜんあばれだした。

〈この子はなぜあばれるんだ？　おれはこの子をどうすりゃいいんだ？　この子はどうしておまえにくくりつけられているんだ？〉

とほうにくれて、おれはたずねた。木はこたえた。

〈この子は、リュウにささげられた、いけにえなのだ〉」

女の子がびくっとからだを動かしました。ホタルギツネは女の子をちらりと見て、続《つづ》けました。

「〈あばれるのは、リュウとまちがえたからだ。ホタルギツネ、わたしに話しかけるように、この子に話しかけてくれ。ホタルギツネの話しかけをききとれるはずだ。この子はわたしにとどく声で、助《たす》けてくれと叫《さけ》んだのだから。いまこの子には耳からの声はきこえない。直接心《ちょくせつしん》にとどく声で話しかけてくれ〉

木がそういうので、おれはこの子に話しかけたんだ。そう、からだじゅうで話しかけるってやつで。すこしはわかるようだった。けれどそのリュウってやつのことでひどくこわがっているもんで、あまりうまくはつながらないんだ。

とにかく木はおれに、できるだけはやく縄《なわ》をほどいて木から離《はな》れてくれといったんだ。おれは縄《なわ》にかみついたりひっぱったりした。だが、どうにもならん。それで、スキッパー、おまえを呼《よ》びにきたってわけなんだよ」

「す、すると、この子は、昔《むかし》の時代《じだい》から、やってきたの……？」

「そうらしいな」

なんてすごい話なんだろうとスキッパーは思いました。たずねたいことがますますふくらんだような気がしました。

「でも、リュウって……？　それに、どうしていけにえに……？」

スキッパーはちらちらと女の子を見ながら、ホタルギツネにたずねました。ホタルギツネもちらりと女の子を見て、いいました。

「リュウについちゃあ、おれはきいちゃいない。きょうはじめてきいたんだ。いけにえについてもわけがわからん」

「じゃあ、その、木にたずねてみたらどうかな。からだじゅうで呼《よ》ぶっていうので」

スキッパーがいうと、キツネはすこし口をあけて、あきれたような目でスキッパーを見ました。

「あのな。あいつは声じゃなくて自分《じぶん》のからだを、時間を超《こ》えてここまで運《はこ》んだわけだ。もしもおれが木なら、このあとひと月やふた月、だまっていたとしてもふしぎじゃないね。リュウといけにえについちゃ、この子にたずねるほかないな」

キツネとスキッパーは、女の子を見ました。

女の子は低《ひく》いうめき声《ごえ》のような声を出したあと、きゅうに息《いき》づかいがはげしくなり、ぶるぶるとふるえだしました。

「リュウのことを話そうと思ったんだろう。思いだすだけで、こわいんだ」

キツネが小さな声でいいました。スキッパーは椅子《いす》から立ちあがり、ふるえる女の子の横《よこ》にしゃがみました。

横《よこ》にしゃがんでどうしようと思っていたわけではありません。でも目の前に女の子のふるえる手がありました。スキッパーは何年《なんねん》か前のことを思いだしました。とてもおそろしい夢《ゆめ》に目がさめてしまった夜のことです。眠《ねむ》れないでふるえるスキッパーの手を、バーバさんはじっとにぎってくれたのです。

スキッパーは女の子の手に、片手《かたて》を重《かさ》ねました。ふるえが伝《つた》わってきます。よほどおそろしかったのにちがいありません。けれど、じっと手を重《かさ》ねていると、ふるえ続《つづ》けてはいるものの、その手から力《ちから》が抜《ぬ》けてきました。スキッパーはもういっぽうの手もさしだして、両手《りょうて》で女の子の手を包《つつ》むようににぎりました。

どれくらいそうしていたでしょうか。やがて女の子は寝息《ねいき》をたてはじめました。スキッパーは、ゆっくり手を離《はな》し、寝室《しんしつ》から毛布《もうふ》を一枚《いちまい》とってきて、女の子にかけました。ホタルギツネが、あとはまかせろというふうに、うなずいてみせました。スキッパーは広間《ひろま》のランプを消《け》しました。ホタルギツネのしっぽが輝《かがや》きを増《ま》したようにみえました。スキッパーはベッドにはいってランタンの明《あ》かりを消《け》しましたが、なかなか寝《ね》つけそうにはありません。女の子のふるえていた手の感触《かんしょく》がふっともどってきたりします。

そうです。このベッドでバーバさんに手をにぎってもらったのでした。手のあたたかさをいま

もおぼえています。そのときにバーバさんが小声《こごえ》でしてくれた話まで、思いだしました。

——スキッパー。人間は昔《むかし》、けものと同《おな》じように生きてたんだ。それがあるとき後足《うしろあし》で立ちあがり、歩けるようになった。すると前足は手になったんだね。なにかをつかめるようになったのさ。人間はその手でなにを最初《さいしょ》につかんだと思う？　食べものかい？　火かい？　棒《ぼう》や石かい？　ちがうね。わたしにはわかる。人間が自分《じぶん》の手で最初《さいしょ》ににぎったのは、きっと、別《べつ》のだれかの手だったんだよ。

3

その名はハシバミ

つぎの日、女の子は眠《ねむ》ったままでした。ホタルギツネも女の子の横《よこ》でまるくなっていました。

「だいじょうぶ？」

スキッパーはホタルギツネに女の子のようすをたずねました。なにも食べないで寝《ね》たきりなのです。

「だいじょうぶだろ。そのあたりに水でも出しておいてやってくれ」

と、ホタルギツネはいいました。スキッパーは女の子のためにコップの水を、ホタルギツネのために皿《さら》の水を用意《ようい》しました。

スキッパーはそっと生活しました。眠《ねむ》りのじゃまをしないためです。ホタルギツネにはたずねたいことがいっぱいありました。けれどキツネはずっと女の子のそばで眠《ねむ》っているので、話をすることができません。

それが三日間《みっかかん》続《つづ》きました。四日目《よっかめ》の朝のことです。

スキッパーは、目をさますなり飛《と》びあがってしまいました。目の前にキツネの顔があったのです。のぞきこんで、起《お》きるのをまっていたようです。キツネは、ささやき声《ごえ》でいいました。

「しずかにしろよ。あの子が目をさますじゃないか。そっと服《ふく》を着《き》ろ。おもてに出よう」

スキッパーは、しのび足で広間《ひろま》を通《とお》り、階段《かいだん》をのぼりました。

ウニマルのある広場《ひろば》は、四日前《よっかまえ》の夜とはぜんぜんちがってみえました。明《あか》るい九月の陽《ひ》の光をあびた、朝の木々《きぎ》や草原《くさはら》は、ふしぎなことなどおこりっこない世界にみえました。

広場《ひろば》から林《はやし》にはいってすこし歩くと、キツネは止まりました。

「ああ、つかれた。きのうの夜、ようやくあの子は話ができるようになったんだ」

キツネは後足《うしろあし》で耳のうしろをかきながら、なまあくびをしました。

「この三日間《みっかかん》、おれは、ずっとあの子に話しかけていたのさ」

「あ、からだじゅうで呼《よ》びかけるっていう……」

「ああ。まあ目の前にいる相手《あいて》だから、時間を超《こ》えて話しあうほどの力《ちから》はいらないんだけどな」

「それ、ぼくとでも、できる？」

「そりゃできない。どうしてもっていう理由《りゆう》が、スキッパーにはないからな」

声に出さずに会話《かいわ》ができるなんて、うらやましい……とスキッパーは、ちょっと口をとがらせました。キツネは続《つづ》けました。

「ずっと話しかけていたといっても、あの子が眠《ねむ》っていないときのことさ。スキッパーにはあの子はずっと眠《ねむ》っていたようにみえたかもしれんが、眠《ねむ》ったり、起《お》きたりしていたんだ。起《お》きているときは、おそろしい気持《きも》ちがよみがえってくるみたいだった。おれが話しかけることばといえば、〈だいじょうぶ〉と〈ねむればいい〉、このふたつきりさ。はじめのうちは〈だいじょうぶ〉といっても、なにがだいじょうぶだって感《かん》じの反発《はんぱつ》がかえってきたけど、眠《ねむ》りを重《かさ》ねるうちに、だんだんおちついてきたみたいだったな。そしてきのうの夜、あの子のほうからたずねてきた。

〈ここはどこ？〉

おれはゆっくりといいきかせるようにこたえた。

〈木はこういってる。ここは、おまえや木がいままでいた時代《じだい》よりも、ずうっとあとの時代《じだい》だって。それが何百年《なんびゃくねん》か何千年《なんぜんねん》かおれにはわからないけどな〉

あの子はしばらく考《かんが》えてから、いった。

〈リュウは……？〉

〈リュウはここにはいない。だいじょうぶだから、そのリュウのことについて教《おし》えてくれ〉とおれはいった。で、あの子が話したのが、こういう話なんだ。

あの子の住《す》んでいた村はずれには、とても大きな木があった、と。ほら、あの木さ。そこに二年前からリュウがすみついたんだとよ。村の連中《れんちゅう》はリュウをおそれて、なんとかリュウが村のなかにはいってこないようにしたいと思った。そこでリュウの気持《きも》ちをしずめるためにささげものを用意《ようい》した。シカ、木《き》の実《み》、果物《くだもの》を、大きな木の根元《ねもと》に置《お》いて、リュウを待《ま》ったんだと。すると

リュウがあらわれた。木の上からおりてきたんだ。そいつを見た連中《れんちゅう》の話によると、黒い雲を身《み》にまとった大きなトカゲのようなやつらしいんだ。そのリュウはあっというまに、シカをまるのみにした。

シカをまるのみにするんだから、リュウってのはおそろしくでかいんだよな。あの子も、じっさいのリュウは見ていないようなんだけどよ。

とにかく、このリュウは、ヒトのことばをしゃべるんだな、おれみたいに。

それから二年間《かん》、満月《まんげつ》の夜に食《た》べ物《もの》を運《はこ》び続《つづ》けたんだとよ。シカがイノシシや鳥になったり、なまの果物《くだもの》が干《ほ》した果物《くだもの》になったりはしたけれど、二年間《かん》ずっと続《つづ》いたんだ。

それが先月《せんげつ》、どういうわけかシカもイノシシも山鳥《やまどり》も、生きた動物ってのがぴたりととれなくなったらしい。とれなきゃしかたがないっていうんで、木《き》の実《み》、果物《くだもの》の量《りょう》をふやしてがまんしてもらおうとしたんだ。だが、とんでもないことがおこった。村の子どもが、ふたり続《つづ》いて消《き》えた。行方不明《ゆくえふめい》になったんだ。迷子《まいご》になったとは考《かんが》えられなかった。村の連中《れんちゅう》は、これは、リュウが生きた動物として子どもをさらって食べたのだろうと考《かんが》えたんだ。

そして今月《こんげつ》も、生きた動物というのがまったくとれない。リュウが村にやってきてだれかがおそわれるくらいなら、いっそこちらからさきに、だれかが犠牲《ぎせい》になってリュウのいけにえになったほうがいい、と考《かんが》えたってんだから、おどろくだろ？　それであの子がいけにえになるってことになったらしいんだ」

「どうして、あの子が……？」

「さあ、そこはきいてないな。とにかくいけにえにはなったものの、ひとりきりになるともうおそろしくてしかたがない。だからあの子はからだじゅうで木に呼《よ》びかけたんだ。助《たす》けてくれって」

「ふうん。……で、あの子、なんていう名前なの？」

「きいてない。そいつはスキッパーがきくといいや。つまり、そういうことだから、あとはよろしく。それじゃ、おれは行くぜ」

キツネは腰《こし》をあげました。

「え？」

スキッパーはびっくりしてしまいました。

「行くって……？」

「おれはもうつかれきっているんだよ。どこかへ行って眠《ねむ》りたいんだ。あとはキツネ抜《ぬ》きでやってくれや」

「やってくれって……？」

「だから、おれは木のたのみをきいてあの子を助《たす》けた。まさかこのあとあの子が、キツネと生きていくってわけにもいくまい？」

「ちょっと待《ま》ってよ。ぼくひとりじゃ、こまるよ」

「なにがこまるんだ。もう、話せば通《つう》じるよ。食《く》わしてやるくらいできるだろう」

「食べものはあるよ。でも……」

なににこまるのか、スキッパーは自分《じぶん》でもよくわかりませんでした。けれど、このキツネがいてくれればともかく、あの子とふたりきりになるのは、なんだかたいへんな気がしました。

「スキッパーがひとりじゃこまるっていうなら、ほかのやつにたのめばいいじゃないか。いるだろ？　世話好《せわず》きが」

スキッパーの頭にポットさんとトマトさんが浮《う》かびました。でも同時《どうじ》に、どうしてキツネがそんなことを知っているのかと思いました。そうです。スキッパーやウニマルのことだって、どうして知っていたのでしょう。

「最初《さいしょ》の夜、質問《しつもん》にはなんでもあとからこたえるって、いったよね。ぼくはまだいっぱいたずねたいことがあるんだ」

「そんなこと……、いったかな」

「いったよ」

ホタルギツネはため息《いき》をつきました。

「さあ、それじゃあウニマルにもどって、朝ごはんにしよう」と、スキッパーがいいました。

ウニマルのはしごをのぼり、入《い》り口《ぐち》のドアをあけて、なかに一歩《いっぽ》はいったところで、女の子が立ちあがっているのが見えました。女の子と目があいました。というのは、女の子はバサバサだった髪《かみ》の毛《け》を両耳《りょうみみ》のうしろで結《むす》んでいたからです。黒く、はっきりとした、まっすぐにみつめる目でした。スキッパーは、いまはじめて出会ったような気がしました。

「助《たす》けてくれて、ありがとう」

女の子は、まじめな顔をくずさずにいいました。きれいな声《こえ》でした。

「あ、いや、そう、うん」

ホタルギツネがうしろから、スキッパーの腰《こし》のあたりを鼻先《はなさき》でつつきました。

「名前、きくんだろ」

「あ、そう、あの、ぼく、スキッパー。きみ、名前は……?」

「……ハシバミ」

「ハシバミ?」

「ハシバミ」

「ハシバミって、あの、実《み》のなる木の?」

「そう」

スキッパーは、図鑑《ずかん》で知っていたのです。

そこまで話したあと、話すことをさがして一分《いっぷん》ほどじっと立っていましたが、とうとう話すことはみつからず、スキッパーは朝ごはんの用意《ようい》をすることにしました。

ストーブに火をおこして湯《ゆ》をわかし、紅茶《こうちゃ》をいれ、クラッカーとチーズを出し、イワシの缶《かん》づめをあけました。イワシの缶《かん》づめはほとんどホタルギツネのためでした。

ハシバミは、ひとつひとつのものをふしぎそうに見ました。ストーブも、缶《かん》づめも、クラッカーも、チーズもです。いちばんおどろいたのは、マッチに火をつけたときです。

「あ」

と、声をあげさえしました。蛇口《じゃぐち》をひねって水を出したときも、目をみはりました。

椅子《いす》にすわったハシバミは、椅子《いす》やテーブルの表面《ひょうめん》をふしぎそうになでました。ホタルギツネも、椅子《いす》にすわって同《おな》じテーブルで食べてもらうことにしました。ホタルギツネは、

「正式《せいしき》に食卓《しょくたく》につかせてもらうのは、はじめてだな」

と、はじめはうれしそうにしていたのですが、すぐにそわそわとして、

「すまないが、床《ゆか》で食《く》わせてくれんかね。どうもこの高さはおちつかん。キツネにはキツネのやりかたというものがあるのさ、やっぱり」

などといって、床《ゆか》におりてしまいました。スキッパーはイワシの皿《さら》と水の皿《さら》を床《ゆか》におろしました。

下におりると、ホタルギツネはやっと味《あじ》がわかったようで、

「イワシの缶《かん》づめ、コンビーフより口にあうな」

と、いいました。

ハシバミはクラッカーとチーズの食べかたを迷《まよ》ったらしく、スキッパーが食べるのをじっと見

てから、食べました。ひさしぶりに食べるせいか食べなれないせいか、すこしずつ、ゆっくり食べているようでした。

スキッパーは、ハシバミの髪《かみ》の毛《け》を結《むす》んでいるひもが、服《ふく》の一部《いちぶ》だったことに気がつきました。荒《あら》く織《お》られた布《ぬの》でできたワンピースの、すそのあたりをさいて、ひもにしたらしいのです。ひとことといってくれれば、ひもくらいあげたのになと思いました。

「スキッパー」

とつぜんキツネに声をかけられて、びっくりしました。

「おれはこのあとちょいとでかける。いや、約束《やくそく》はわかってるって。外のおちつくところでひと眠《ねむ》りしたいだけなんだよ。夜になったらもどってくる。かならずもどってくるから、いいだろ」

スキッパーはうなずきました。

「ああ、それから、もしもこの森のほかの連中《れんちゅう》にハシバミをひきあわすんなら、おれのことはだまっていてほしいんだ。しっぽが光ってしゃべるキツネのことは、ないしょにしておいてほしいんだ。たのむよ」

「わかった」

スキッパーは、もういちどうなずきました。

4 クラッカーの教《おし》えかた

ホタルギツネは缶《かん》づめのイワシを食べてしまうと、スキッパーとハシバミの食事《しょくじ》が終《お》わるのを待《ま》たずに、

「じゃあ、おれは……」

と、立ちあがりました。スキッパーは階段《かいだん》をのぼってドアをあけてやりました。

「夜にな」

ホタルギツネはウニマルの船《ふな》べりにのり、ひらりと姿《すがた》を消《け》しました。

キツネがいなくなると、スキッパーはおちつかない気分《きぶん》になりました。さっきまでそうは思わなかったのに、ふたりきりになると、ならんで食事《しょくじ》をしているのさえ不自然《ふしぜん》に思えてきます。

「あの……」

と、スキッパーがいいました。ハシバミは、黒いはっきりとした目を真正面《ましょうめん》からスキッパーにむけました。スキッパーはどぎまぎしました。

「ええっと、……わからないことは、きいてくれればいいから。その、……なにがわからない？」

ハシバミはまっすぐスキッパーを見て、しばらくだまったあと、

「なにもかも」

と、いいました。

「なにもかも……」

同《おな》じことばをつぶやきかえして、スキッパーは、なにもかもわからない、という気分《きぶん》になってみようとしました。が、うまくいきません。なにもかもわからないという相手《あいて》には、いったいなにから教《おし》えればいいというのでしょう。そう思ったとき、ハシバミがクラッカーを指《ゆび》さしていいました。

「これは？」

「クラッカー」

反射的《はんしゃてき》にこたえて、ああそうか、と思いました。まわりにあるものをひとつひとつ教《おし》えていけばいいのです。

「クラッカー？」

ハシバミがくりかえします。

「そう、クラッカー」

「どうやってつくる？」

この質問《しつもん》にはおどろきました。いままでスキッパーは、クラッカーがどんなふうにつくられているのか、考《かんが》えたこともありませんでした。

——どういうふうにつくるんだろう。きっと小麦粉《こむぎこ》だな。それを練《ね》って焼《や》くんだ。塩《しお》なんかまぜるな、きっと。でもちゃんと調《しら》べてこたえたほうがいいな。

「ちょっと待《ま》ってね」

スキッパーは、書斎《しょさい》へ行って、百科事典《ひゃっかじてん》を持《も》ってきました。

そして〈クラッカー〉をひきました。

やっぱりそうです。小麦粉《こむぎこ》を使《つか》っています。

「あの、小麦粉《こむぎこ》をね」

「コムギコ？」

「小麦《こむぎ》って、知《し》ってる？」

「コムギ？」

これはたいへんなことになるぞ、とスキッパーは思いました。

クラッカーを説明《せつめい》するだけで一日かかりそうです。

いえ、一日ではすまないような気もします。

ごくりとつばをのみこんだところで、ハシバミが百科事典《ひゃっかじてん》を指《ゆび》さしました。

「これは？」

「ああ、百科事典《ひゃっかじてん》」

「ヒャッカジテン」

「いろんなことが文字で書いてあるんだ」

「モジデカイテアル？」

文字で書いてある、がわからないのです。スキッパーは気が遠《とお》くなるような気分《きぶん》におそわれました。モジを説明《せつめい》して、カイテアルを説明《せつめい》するうちに、新《あたら》しく説明《せつめい》しなければならないことばがどんどん出てくるような気がしました。

「あの、……さきに、食べてしまおう」

スキッパーがいうと、ハシバミはうなずきながらチーズをとり、小さな声で遠慮《えんりょ》がちにいいました。

「これは？」

チーズが牛乳《ぎゅうにゅう》からつくられていることを、スキッパーは知っていました。けれど実際《じっさい》につくったことも、つくっているのを見たこともなかったし、ハシバミが牛《うし》を知っているかどうかも疑問《ぎもん》でした。そこで、こうこたえておくことにしました。

「それはチーズ。つくりかたは知《し》らない」

「つくりかたを、知らない……？」

ハシバミはふしぎそうにつぶやきました。

「だれがつくった？」

「……知らない」

「どうして、ここに？」

「バーバさんが買った……」

「バーバサン？　カッタ？」

「バーバさんっていうのは、ここにぼくといっしょに住《す》んでいるひと。でもいまはよそに行っていて、ここにはいないんだ。買ったっていうのは、……お金《かね》ととりかえたんだ」

「オカネ？」

「つまり、それは、……ものとものとをとりかえるのとおなじさ」

お金《かね》の説明《せつめい》にはなっていないような気がしました。スキッパーは、逆《ぎゃく》にたずねてみました。

「ハシバミは、食べものとか、まわりにあるものは全部《ぜんぶ》、だれがどうやってつくったかわかっているの？」

ハシバミはあたりまえのようにうなずいて、両手《りょうて》を胸《むね》の上に重《かさ》ねると、こういいました。

「サユル、タマサウ、ココロ」

「え？　なんていったの？」

「サユル、タマサウ、ココロ、知らない？」

「知らない」

ハシバミは、スキッパーとチーズをみくらべました。

「それ、どういう意味《いみ》？」

「ヒトのいのちと、モノのいのちが……、ヒトとモノがつながっていて、おちつく……」

「それが、まわりのもののつくりかたがわかっていることと、関係《かんけい》あるの？」

ハシバミはうなずきました。よくわからないまま、スキッパーはたずねました。

「その服《ふく》はだれがつくったの？」

「わたしが、草《くさ》のスジから織《お》った」

「そのくつは？」

「シカの皮《かわ》から、わたしが、つくった」

「シカは？」

「カラスが、狩《か》りをした」

「カラス？」

「わたしの、お兄《にい》さん。ちいさいころ、おにいちゃん、と呼《よ》んでた」

「家は？」

「お父《とう》さんとお母《かあ》さんと、カラスとわたし、それに村のひとたちで、つくった」

「食べるものは？」

「家のひとや村のひとと、とりにいく」

「なにをとるの？」

「クリ、ドングリ、貝《かい》、魚、ヤマモモ、クルミ、モモ、ナシ、ナツメ、ブドウ……」

スキッパーは、飲《の》もうと持《も》ちあげていた紅茶《こうちゃ》のカップをもういちどテーブルの上にもどし、ハシバミをあらためて見ました。

もちろんスキッパーとハシバミは、時代《じだい》がちがいます。暮《く》らしぶりがちがうのはあたりまえです。それにしても、ハシバミがとてもはっきりとした世界で生きているように思えたのです。

——ヒトとモノがつながっていて、おちつく……。

ハシバミのことばを心のなかでくりかえしてみました。

スキッパーときたら、クラッカーやチーズだけでなく、紅茶《こうちゃ》も皿《さら》もカップも、百科事典《ひゃっかじてん》もストーブも、だれがつくったのかはもちろん、どのようにしてつくったのかさえ、知りません。ところがハシバミは、まわりにあるもののそういうことが、ちゃんとわかっているというのです。

さっきハシバミは、なにもかもわからない、といいました。けれどスキッパーは、なにもかもわからないのは、ぼくのほうかもしれない、と思ってしまいました。

食事《しょくじ》を終《お》えて、あとかたづけをしたあと、ハシバミは部屋《へや》のなかのものを、あれこれスキッパーにたずねました。

鏡《かがみ》にはとても興味《きょうみ》をひかれたようでした。

窓《まど》やランプのガラス、ストーブや火かき棒《ぼう》、なべやナイフの鉄《てつ》、床《ゆか》や机《つくえ》の平《たい》らにけずった板《いた》、スキッパーの服《ふく》の布《ぬの》、毛布《もうふ》、なにもかもめずらしいようでした。

だれがつくったのかこたえられるものが、いくつかありました。机《つくえ》や椅子《いす》、戸棚《とだな》です。それはすべてギーコさんがつくったものでした。それらのものには、めだたないところに、ギーコさんのマークが焼《や》きつけられていました。木と月をくみあわせた印《しるし》です。

書斎《しょさい》でハシバミが、本棚《ほんだな》にならんだ本を指《ゆび》さして、いいました。

「ヒャッカジテン」

ハシバミは〈本〉のことを〈ヒャッカジテン〉だとおぼえてしまったのです。

スキッパーは、汗《あせ》をかきながら、ここにならんでいるのは本というもので、本のなかにいろいろあって、そのうちのひとつが百科事典《ひゃっかじてん》というものだということを説明《せつめい》しなおしました。

ハシバミは本を指《ゆび》さして、

「ホン」

と、いいなおしました。

いったあとで小さくため息《いき》をついたように、スキッパーにはみえました。

「外へ出る？」

ハシバミはほっとしたようにうなずきました。

ふたりはウニマルの甲板《かんぱん》に出ました。

まわりをとりかこんでいる九月の木は、まだ夏のいきおいを残《のこ》していますが、どこかおちついてみえます。

「ハシバミのいたところにも、森があったんだね」

ハシバミはうなずきました。

「森と、大きい木がある」

「森は、ここと同《おな》じような森？」

ハシバミは前歯《まえば》で下くちびるをかるくかんで、まわりの木々《きぎ》をながめ、どういえばいいかと考《かんが》えてから、こたえました。

「ここは、おとなしい森」

スキッパーは、四日前《よっかまえ》のとほうもなく大きな木と、やわらかい草の地面《じめん》を思いだしました。船《ふな》べりにもたれたり、へさきに腰《こし》かけたりしながらスキッパーは、この家がウニマルと呼《よ》ばれていること、この森がこそあどの森という名前であること、この近《ちか》くにはあと四《よっ》つの家があること、そしてそれぞれの家に住《す》んでいるひとたちのことを話しました。

明《あか》るい光のなかで話していると、もういちど部屋《へや》にはいってものの名前を教《おし》える気分《きぶん》にはなれませんでした。森のなかを散歩《さんぽ》でもしたほうが楽《たの》しそうです。

「あの、このあと、だれかの家へ行こうか」

ハシバミも外を歩きたかったのか、うなずきました。

5

自分《じぶん》でも信《しん》じられない話

湯《ゆ》わかしの家に近《ちか》づくと、ポットさんが畑《はたけ》仕事《しごと》をしているのが見えました。ポットさんがすぐにふたりに気づいて、遠《とお》くから手をふって大きな声を出しました。

「やあ、スキッパー。おきゃくさんかい？」

スキッパーは手をふりかえしながらハシバミにいいました。

「あのひとが、ポットさん」

ポットさん、とハシバミは口のなかでくりかえしました。

スキッパーとハシバミをむかえるように、鍬《くわ》を持《も》ったままポットさんもこちらにきました。

「こんにちは。ええっと……？」

と、ポットさんがいいました。

「……名前」

スキッパーが小声《こごえ》でハシバミにいいました。

「ハシバミ」

ハシバミがいいました。

「こんにちは、ハシバミ。ああ、はじめまして、だな。ポットです」

ポットさんがにっこりうなずいていうと、ハシバミはもういちど、

「ハシバミです」

といって、ポットさんがしたように、にっこりとうなずきました。

「で、ハシバミは、どちらから？」

ポットさんはハシバミにたずねたのですが、スキッパーがこたえました。

「あの……、昔《むかし》から」

「ムカシ……？」ポットさんはまゆをよせてスキッパーを見ました。「そういう名前の場所《ばしょ》？」

「いえ、ずっと前っていう、昔《むかし》」

「昔《むかし》から……きた？」

「ええ」

スキッパーがうなずくと、ポットさんは笑《わら》いだしました。

「昔《むかし》からきた、そりゃいい。なるほど、そういや昔《むかし》ふうかもしれん」

あとのほうは、ハシバミのかっこうを見ていいました。ちょっと失礼《しつれい》ないいかただなと、スキッパーは思いました。ポットさんは、昔《むかし》からきた、というのは冗談《じょうだん》だと思ったのです。

「さあ、ハシバミ、ほんとうはどこからきたの？」

ポットさんはハシバミにたずねました。

「昔《むかし》、から……」

ハシバミはまじめにこたえました。ポットさんはすこしぎょっとしました。笑《わら》いの消《き》えた、疑《うたが》わしそうな顔で質問《しつもん》しました。

「どうやって、きたの？」

「木といっしょに」

「キ？」

ポットさんは、あごをつきだしまゆをよせました。これはぼくが説明《せつめい》しなくちゃいけない、とスキッパーは、ごくりとつばをのみこみました。

「あの、大きな木があって、ハシバミはそこにしばりつけられていて、それから、木が時間を超《こ》えて、昔《むかし》から現在《いま》へ、……この時代にやってきたんです」

ポットさんのあごがひかれ、まゆがゆっくりあがり、あがりきって止まり、それからスキッパーのほうへむきなおりました。

「じゃあ、その木はいま、どこにあるんだい？」

「あ、木はもう、帰《かえ》っちゃったんです」

「帰《かえ》った！　どこへ？」

「だから、昔《むかし》のほうへ……」

「……」

ポットさんの手から鍬《くわ》の柄《え》がはなれ、地面《じめん》に落《お》ちました。ポットさんは静《しず》かにスキッパーのおでこに手をあて、つぎに自分《じぶん》のおでこに手をあてました。

「きみにも、ぼくにも熱《ねつ》はない。……とにかく、なかにはいろう、なかに」

ポットさんはふたりをおすようにして、湯《ゆ》わかしの家にはいっていきました。

「トマトさん」

ポットさんの声にふりむいたトマトさんは服《ふく》や布《ぬの》をいれたかごを持《も》っていました。洗濯《せんたく》をしようとしているところだったようです。ポットさんが説明《せつめい》しようとしました。

「スキッパーが……」

トマトさんは説明《せつめい》などききませんでした。たちまち笑顔《えがお》になってしゃべりだしました。

「まあまあスキッパー、めずらしいこと。しばらく会わなかったでしょ。どうしてるかなっていってたのよ、ポットさんと。まあ、ポットさん、スキッパーったら女の子をつれてきているじゃないの。その子はだあれ。いやだわ、ポットさん、わたしたちつっ立ったままじゃない。さあ、はやくすわりましょ。ねえ、お茶を飲《の》むでしょ。お茶にしようかな、洗濯《せんたく》にしようかなって思ってたところなのよ、ほんとよ」

トマトさんが息《いき》をついだすきをねらって、ポットさんがふたりを紹介《しょうかい》しました。

「ハシバミ、こちらトマトさん、ぼくの奥《おく》さん。

トマトさん、こちらハシバミ、
昔《むかし》からやってきたそうだ」

「まあ、ハシバミ、すてきな名前、よろしくね」

ハシバミは頭をさげるのがやっとでした。

「トマトさん、きいているのかい？

ハシバミは、昔《むかし》から、やってきたんだよ」

「それ、どこにあるの？」

「どこ、じゃなくて、いつ、なんだよ」

「いつ？」

「そう。現在《げんざい》、過去《かこ》、未来《みらい》の過去《かこ》。ずうっと前の時代《じだい》の、昔《むかし》。大きな木があって、ハシバミはその木にしばりつけられていてだね、木が時間を超《こ》えて現在《いま》という時代《じだい》にやってきて、ハシバミを残《のこ》して、木は、昔《むかし》へもどっていったっていうんだ」

トマトさんはじっとポットさんをみつめてからいいました。

「しばりつけられてっていうのは、おだやかじゃないわね」

「いや、問題《もんだい》はしばりつけられていたことではなく、時間を超《こ》えて……」

「ポットさん」トマトさんはいままでずっと持《も》っていたかごをポットさんにわたしました。「わたしの考《かんが》えはこうよ。ややこしい話をきくには、まずお茶をいれる。お茶を飲《の》んで、気分《きぶん》をおちつけて話をきく、それがいいと思うの」

トマトさんはお茶をいれにいきました。

「ぼくもそれがいいと思うよ」

ポットさんもそういいながら、かごを部屋《へや》のすみに置《お》きにいきました。それから、長机《ながづくえ》のはしに、スキッパーとハシバミをすわらせ、いままではいていた農作業用《のうさぎょうよう》の長《なが》ぐつをスリッパにはきかえ、手を洗《あら》い、お茶の用意《ようい》を手伝《てつだ》いました。

五分後《ごふんご》には四人《よにん》は椅子《いす》にすわって、お茶とクッキーを前にしていました。

スキッパーの話は、四日前《よっかまえ》の夜九時ごろ、森のようすがおかしいので、見に行くと、巨大《きょだい》な木があって、そこにハシバミがくくりつけられていた、それを助《たす》けると木が消《き》えた、というものでした。ハシバミの話は、スキッパーがホタルギツネにきいたとおりでした。自分《じぶん》がリュウのいけにえになったのだが、木がこの時代《じだい》に送《おく》りこんで助《たす》けてくれたらしい、というものです。

ふたりが話し終《お》わると、ポットさんとトマトさんは顔をみあわせ、ため息《いき》をつきました。

「ねえ、ハシバミ」トマトさんがいいました。「あなたがいまこの森にいることを、あなたのお母《かあ》さんやお父《とう》さんは知っていらっしゃるの？」

ポットさんが、そうだそうだとうなずきました。ハシバミは左右《さゆう》に首をふりました。

「お母《かあ》さん、去年《きょねん》、お父《とう》さん、三年前に、死《し》にました」

「まあ、わるいことをきいちゃったわね」

トマトさんは自分《じぶん》の口をおさえました。かわってポットさんがたずねました。

「いっしょに暮《く》らしているひとは、いないのかい？」

「弟《おとうと》と妹《いもうと》が」

「いるのかい？　じゃあ弟《おとうと》と妹《いもうと》はいま、きみがこの森にいることを知《し》っているのかい？」

ハシバミは左右《さゆう》に首をふりました。その目に涙《なみだ》がもりあがり、ほおをつたって落《お》ちました。

「弟《おとうと》と妹《いもうと》には、旅《たび》に出ると」

「旅《たび》に出るっていったのかい？　そりゃまあ、そうだな。リュウのいけにえになるなんて、ちょいといえないよな」

ポットさんがそういうと、ハシバミはまた涙《なみだ》を流《なが》しました。

「しかし、その、いったいどうして、ハシバミがその、なんだ、リュウのいけにえにだね、なることになったんだ？」

それはスキッパーも知りたかったことです。ハシバミは目をとじて、気持《きも》ちをおちつかせるように大きく息《いき》をつきました。

「自分《じぶん》で……」

「自分《じぶん》から、いいだしたのかい？」

ポットさんのことばに、ハシバミはうなずきました。

「どうしてそんなことをいいだしたんだ？」

ポットさんはハシバミの顔をのぞきこんでたずねました。ハシバミはもういちど大きく息《いき》をつき、そして話しました。

「お父《とう》さん、死《し》んで、お母《かあ》さん、病気《びょうき》になって、お兄《にい》さん、いなくなって、お母《かあ》さん、死《し》んで、わたしと弟《おとうと》と妹《いもうと》、村のひとの世話《せわ》になってました。だれかがいけにえになるならわたしだと思いました。……でも、わたし、こわくなった。死《し》にたくないと思った。助《たす》けて、助《たす》けてって、木にたのみました。木はわたしを逃《に》がしてくれた。……きっと、リュウは、別《べつ》のいけにえ、さがします。わたし、村の役《やく》にたてなかった」

トマトさんは静《しず》かに立ちあがり、涙《なみだ》を流《なが》すハシバミの横《よこ》に行き、身《み》をかがめると、ハシバミを抱《だ》きしめました。

「ハシバミ、わたしにはリュウとかいけにえとか時間とか、さっぱりわからないけど、あなたがよくやったってことはわかるわ。きっと木もそう思ったから、あなたを逃《に》がしてくれたのよ。もうすんだことなんだから、忘《わす》れなさい」

トマトさんはそういって、しばらくハシバミを抱《だ》きしめていました。が、スキッパーを見て、小声《こごえ》でいいました。

「スキッパー、遠《とお》い旅《たび》をしてきたハシバミを、おふろにいれてあげた？」

スキッパーは首をふりました。この四日間《よっかかん》そういう雰囲気《ふんいき》ではなかったのです。トマトさんは、まゆをよせました。

「気がきかないんだから」

トマトさんは、すっくと立ちあがり、宣言《せんげん》しました。

「これから、ハシバミをおふろにいれます。ちょうど洗濯《せんたく》のためにお湯《ゆ》をわかしたところだし。ポットさんとスキッパーは、バスタブの用意《ようい》をしたら、しばらくおもてに出てちょうだい」

「オフロ？」

ハシバミはスキッパーの顔を見ました。

「ハシバミのからだを洗《あら》いたいらしいよ、トマトさんは」

スキッパーは小声《こごえ》で、おふろを説明《せつめい》しました。ハシバミは目をまるくしました。

「そうだ！」ポットさんが指《ゆび》をぱちんと鳴《な》らしました。

「きょうみんなにハシバミを紹介《しょうかい》してしまおうよ。トワイエさんも、スミレさんとギーコさんも、湖《みずうみ》のふたごも、みんなここに呼《よ》んでくるんだ。昼《ひる》ごはんをいっしょに食べることにしよう。ぼくとスキッパーで、ハシバミのおふろのあいだに、みんなを呼《よ》んでくるっていうのはどうだろう」

「まあ、いい考《かんが》え！　なんていいことを思いつくの、

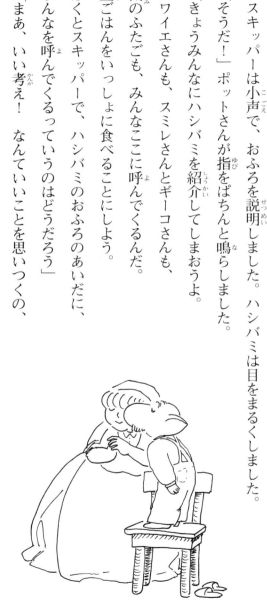

ポットさん。キスして！」

ポットさんはいすの上にのぼって、トマトさんのほっぺにキスしました。

スキッパーにしてみれば、きょうはポットさんとトマトさんにハシバミを紹介《しょうかい》して、お茶でもごちそうになって、ウニマルにもどろうと思っていたのです。それがずいぶんおおげさなことになってきました。

ポットさんがトワイエさんとスミレさんとギーコさんを、スキッパーがふたごを呼《よ》んでくることになりました。

とちゅうまでふたりは同《おな》じ道です。湯《ゆ》わかしの家を出るとすぐ、ポットさんは小声《こごえ》でスキッパーにいいました。

「ぼくはその、よくわからないんだけどね。ほんとうのところはどうなんだろう」

なんのことでしょう、とスキッパーはポットさんの顔を見ました。

「いや、その、スキッパーやハシバミがうそをついているとは思わないんだよ。思わないんだが、どうにも信《しん》じられないんだ」

ホタルギツネのことをかくしているのがばれたのかな、とスキッパーはギクリとしました。ポットさんは続《つづ》けました。

「たとえばだね、この森のずうっと奥《おく》に、とても昔《むかし》ふうの暮《く》らしを続《つづ》けているひとたちがいたとしてだよ、そこからハシバミが逃《に》げてきたっていうのなら、ぼくにはよくわかるんだ―」

スキッパーはおもわず立《た》ち止《ど》まりました。

「ポットさん。ぼく、自分《じぶん》の目で大きな木を……」

「ああ、スキッパー。気をわるくしないでくれよ。でも、ほら、なにかの力《ちから》で、見ていないものを見たように思わせるってこともできるだろ。つまり、スキッパーもハシバミも、なにかの力《ちから》でそのように思いこまされているとすれば、どうだろう」

ポットさんは、スキッパーとハシバミの話を信《しん》じていないようすでした。すんなり信《しん》じてもらえるだろうと考《かんが》えていたわけではありませんが、信《しん》じられないといわれると、スキッパーにはいささかショックでした。

「いや、あのね、スキッパーとハシバミがそのことを信《しん》じているってことは、わかるんだよ。でもね、いくつか、ふにおちないことがあるんだよ」

「ふにおちないこと……？」

「リュウも大きな木も信《しん》じにくいけど、木が時間を超《こ》えて昔《むかし》からやってきた、っていうのがどうも納得《なっとく》しにくいんだな。ああ、そうそう、それから、スキッパー、きみがだよ、森のようすがおかしいと思って、ひとりで夜の森にはいっていったっていうのも、そんなことをスキッパーがするかなあ、って思ってしまうんだ、ぼくは」

ホタルギツネがここにいてくれればなと、スキッパーはくちびるをかみました。だまってしまったスキッパーを見て、あわてたようにポットさんはいいました。

「いや、気にしないでくれよ。ぼくはときどき、うたぐりぶかいんだ」

それからしばらく、ふたりはだまって歩きました。だまって歩きながら、スキッパーは自分《じぶん》とハシバミのした話を思いだしてみました。たしかに信《しん》じられない話だなと思《おも》いました。そこで、会話《かいわ》としてはずいぶんまのぬけたうけこたえになりましたが、スキッパーは、とつぜんのようにポットさんにいいました。

「気にしてません。

……自分《じぶん》でも、信《しん》じられない話ですから」

「うん、うん」

と、ポットさんはうなずきました。

6

ハシバミを紹介《しょうかい》する昼食会《ちゅうしょくかい》

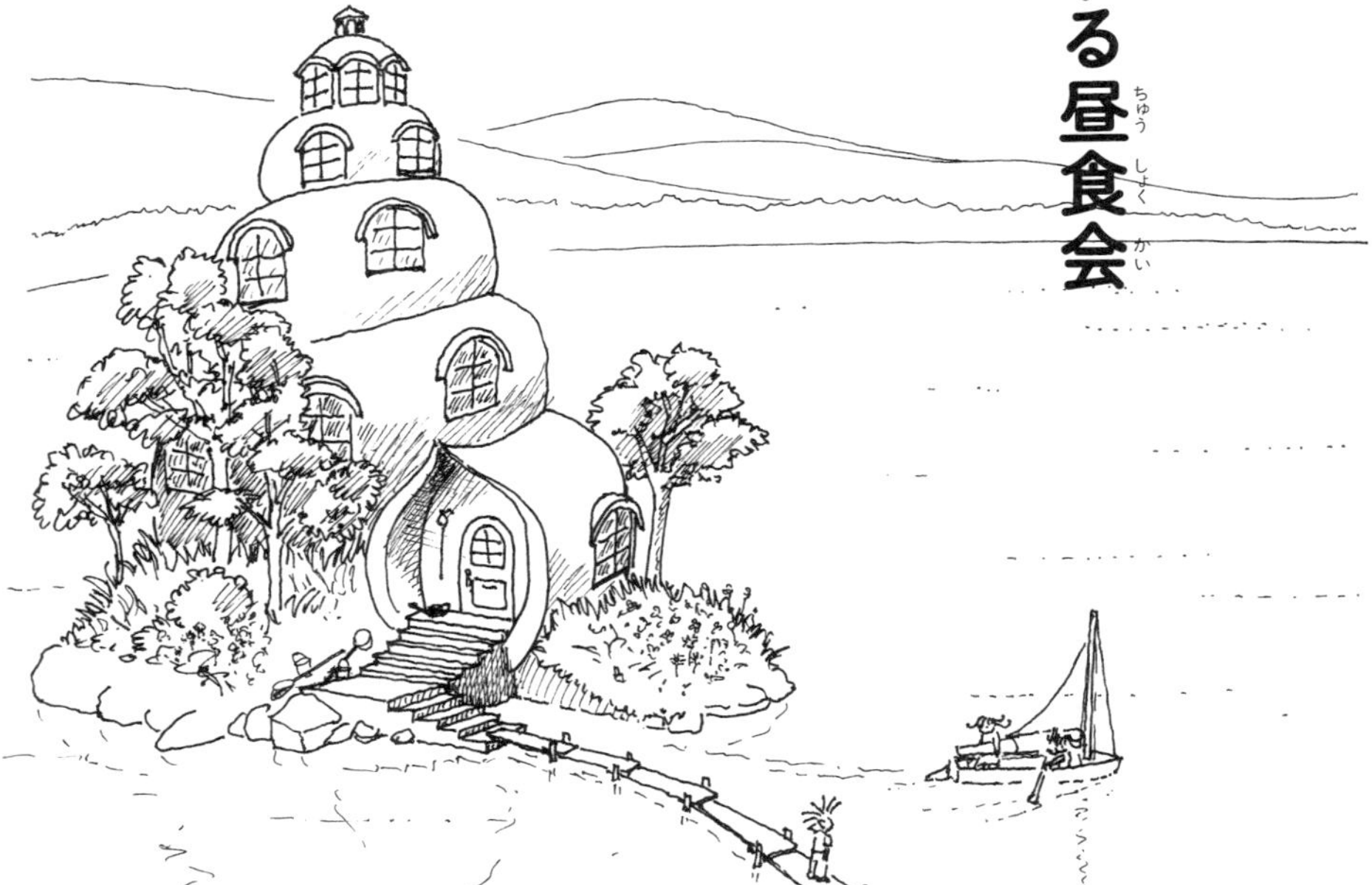

トワイエさんの家の前でポットさんと別《わか》れたスキッパーは、川ぞいに湖《みずうみ》へ出ました。

ふたごはヨットで遊《あそ》ぼうとしているところでした。でもスキッパーの話をきくと、おおよろこびで湯《ゆ》わかしの家へ行くことにしました。リュウのいけにえになった女の子と会うのはおもしろそうだったし、ふだんとはちがうものが食べられるのも楽《たの》しみだったのです。

道々《みちみち》、スキッパーはたずねられるままに、ハシバミのことを話しました。どんな女の子かときかれて、こたえに迷《まよ》っていると、ふたごは、自分《じぶん》たちとくらべてどうちがうか、とききなおしました。

「おとなしい、かな」

とスキッパーがこたえると、

「おとなしくするなんて、かんたん」

「そう、かんたん」

「じゃあ、する?」

「する」

「いつから?」

「むこうについてから」

とふたりは顔を見あわせ、にやりと笑《わら》いました。

昔《むかし》から時間を超《こ》えてやってきた、ということには、

「とても信《しん》じられない」

といったあとで、

「でも、なんてすてき」

と、あっさり納得《なっとく》してしまいました。

それよりも、ハシバミという名前が気にいったようでした。しばらくふたりはだまりこんでいましたが、きゅうに自分《じぶん》の名前を思いついて、発表《はっぴょう》しました。

「わたしのことは、アケビと呼《よ》んでね」

「わたしのことは、スグリと呼《よ》んでね」

ふたごはこうして、しょっちゅう自分《じぶん》たちの名前を変《か》えるのです。


トワイエさんの家の前で、スキッパーたちは、ポットさんとトワイエさん、ギーコさん、スミレさんに出会いました。ギーコさんは大きななべを手にさげています。おとなたちと合流《ごうりゅう》したとたんに、ふたごが叫《さけ》びました。

「わたしのことは、アケビと呼《よ》んでね」

「わたしのことは、スグリと呼《よ》んでね」

スグリがアケビを指《ゆび》さして、

「アケビっくり！」

というと、アケビがスグリをくすぐって、いいかえしました。

「くスグリ！」

そのあとふたりはきゃっきゃと笑《わら》いあいました。

「このそうぞうしい子たちも呼《よ》ばれているってわけね」

スミレさんがまゆをしかめました。

湯《ゆ》わかしの家までの道でスキッパーは、前を歩くふたごと、うしろを歩くおとなたち両方《りょうほう》のおしゃべりをきかされることになりました。

「いけにえ、なってみたい」

「助《たす》かるなら、なってみたい」

「そう、助《たす》かるなら。でも、助《たす》かるまでは助《たす》かるとわからない」

「そう、助《たす》からないと思《おも》ってるのが、助《たす》かる」

「……じゃあ、ギーコさんは、森の奥《おく》には村があるようには思えないというんだね」

「女の子が旅《たび》の用意《ようい》もなしに、ひとりで歩いてくるという近《ちか》さにはね」

「森の奥《おく》からじゃなく、町のほうからならどうなの？」

「いや、あれは町からきたっていう服装《ふくそう》にはみえなかったな。服《ふく》の生地《きじ》もね、草のスジで織《お》ったような布《ぬの》なんだ」

「すると、その、やはり、時間を超《こ》えて昔《むかし》から、ええ、やってきたってわけですかね」

「すくなくとも、大昔《おおむかし》のような暮《く》らしをしているところからきたことは、まちがいのないところだね」

「……しばられていて、動けない」

「そう、手も足も、動かない」

「王子《おうじ》さまが助《たす》けにくる」

「てことは、ハシバミの王子《おうじ》さまは、スキッパー？」

「でも王子《おうじ》さまなら、リュウをやっつける」

「そう、スキッパーは、リュウをやっつければよかった」

スキッパーは、心のなかでため息《いき》をつきました。

「……しかし、その、んん、ことばは、わかるんでしょ？」

「ことばはわかる。もっとも、おふろ、なんてことばは知らなかったみたいだけどね」

「からだを洗《あら》うってことを知らなかったのかしら。それとも、おふろといういいかたを知らなかったのかしら」

「さあ、どうだろう」

みんなはハシバミのことに興味《きょうみ》をかきたてられているようです。このあとハシバミは、めずらしい生きものでも見るように見られて、いやな思いをするのではないかと、スキッパーは心配《しんぱい》になりました。

湯《ゆ》わかしの家に着《つ》くと、おもてからポットさんが声をかけました。

「トマトさん、みんなきてくれたよ。もう、はいってもいいかい？」

「いいわよ」

トマトさんの声がきこえて、ポットさんがドアをあけました。部屋《へや》のなかには、ひとりの女の子が立っていました。スキッパーは一瞬《いっしゅん》、「え？」と思いました。ちがう女の子かと思ったのです。

きちんととかした髪《かみ》が両耳《りょうみみ》のうしろで、赤いリボンでまとめられています。顔の輪郭《りんかく》がはっきりとして、晴《は》れやかな感《かん》じがします。青いベルトの白いワンピース姿《すがた》で、足元《あしもと》はスリッパをはい

ていました。

「ハシバミです。はじめまして」

ハシバミは、はきはきいって、頭をさげました。

「しっかりした子じゃないの」

スミレさんがトマトさんにいいました。トマトさんは、とくいそうにうなずきました。スキッパーは、トマトさんがハシバミに、あいさつのしかたを教《おし》えたんだなと思いました。

トマトさんは、うれしいのかこまったのかわからない顔でいいました。

「なにしろとつぜんのことだから、着《き》る服《ふく》がないでしょ。わたしのブラウスを、安全《あんぜん》ピンと青いリボンで、ワンピースにしているの」

「きみが小さかったころの服《ふく》が、たしか地下室《ちかしつ》の箱《はこ》にあったぞ」

ポットさんのことばに、みんなは、トマトさんの小さかったころが想像《そうぞう》しにくくて、ちらちら顔をみかわしました。

「わたしもそう思ったんだけど、地下室《ちかしつ》はポットさんしか行けないでしょ？」地下室《ちかしつ》へ行くはしごの通路《つうろ》は、トマトさんにはせますぎるのです。「ポットさん、あとでさがしてちょうだい」

トマトさんは、みんなにいいました。

「さきに紹介《しょうかい》だけしておくわね。ハシバミ、こちらはスミレさん、そしてギーコさんはスミレさんの弟《おとうと》よ。それからトワイエさん。それから……」

「わたしのことは、アケビと呼《よ》んでね」

「わたしのことは、スグリと呼《よ》んでね」

ふたごが自己紹介《じこしょうかい》をすると、スミレさんがつけたしました。

「このふたりの名前が、あすになって、キャベツとレタスになっていてもおどろかないでね」

ハシバミは、どういうこと？　とスキッパーを見ました。スキッパーが説明《せつめい》する前に、トマトさんがこたえました。

「このふたごはね、好《す》きなときに自分《じぶん》たちの名前を変《か》えるの。かわってるでしょ。さあ、それよりもみなさん、おなかがすいているんじゃない？　ハシバミの話はあとでゆっくりっていうことにして……」

トマトさんがぱんぱんと手をたたき、食事《しょくじ》のしたくがはじまりました。

ギーコさんは、持《も》ってきたなべの、きのこと山鳥《やまどり》のシチューをあたためました。ポットさんはまず地下室《ちかしつ》からソーセージをとってきて、それからトワイエさんといっしょに、畑《はたけ》へ野菜《やさい》をとりにいきました。トマトさんはハシバミとスキッパーに手伝《てつだ》わせて、パンとソーセージをあたため、お茶の用意《ようい》をし、お皿《さら》をならべました。

湯《ゆ》わかしの家の水は二種類《しゅるい》あります。どちらも地下水《ちかすい》ですが、汲《く》みあげておいた水と、汲《く》みたての水です。九月ぐらいだと、汲《く》みおきの水はあたたかい水です。汲《く》みたての水は、手をつけておけないほど冷《つめ》たいのです。スキッパーたちは、とったばかりの野菜《やさい》を、この冷《つめ》たい水でていねいに洗《あら》いました。

すわる席《せき》はトマトさんが決《き》めました。トマトさんのとなりがハシバミで、そのとなりがスキッパーでした。

食事《しょくじ》はごうかなものになりました。けれど、せっかくの食事《しょくじ》を、スキッパーは充分《じゅうぶん》に味《あじ》わえませんでした。このあとハシバミのことをうまく説明《せつめい》できるかどうか、気がかりだったからです。

ハシバミはといえば、スプーンやフォークの使《つか》いかたがよくわからなかったようですが、まわりのひとの使《つか》い方《かた》をじっと見て、ゆっくりと食べはじめました。

トマトさんは、食べるものの名前をハシバミに教《おし》えました。ハシバミは、その名前をもういちど口のなかでくりかえし、ひとつひとつ味《あじ》をたしかめるように食べました。

「おいしい？　口にあう？」

トマトさんは何度《なんど》もききました。ハシバミはそのたびに、

「おいしい」

と、うなずきました。

「でも、いつも食べているものとはちがうんじゃないの？」

ハシバミの正面《しょうめん》にすわったスミレさんがたずねました。

ハシバミがうなずくと、トマトさんがききました。

「どうちがうの？」

ハシバミはすこし考《かんが》えてから、こたえました。

「もっとうすい。……もっとそれの味《あじ》がつよい」

トマトさんがうなずきました。

「味《あじ》つけをうすくして、
それがもともと持《も》っている味《あじ》を生《い》かすのね」

スキッパーはハシバミのこたえで、
コンビーフの塩味《しおあじ》がきついといったホタルギツネを
思いだしました。いまごろ森のどこかでぐっすり眠《ねむ》ってい
るのかなと思うと、口のはしですこし笑《わら》ってしまいました。

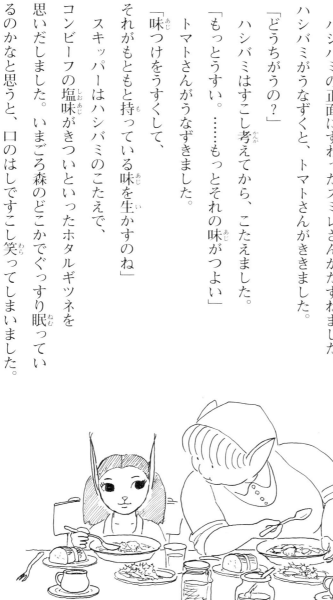

「あっ！　スキッパーがにやにやして食べてる」

ななめ前の席《せき》のスグリにみつかってしまいました。

「見なかった。もういちどにやにやしてほしい」

すぐとなりのアケビがみつめましたが、
スキッパーはもうにやにやしませんでした。

かわりにふたごがにやにやしました。

スミレさんが横目《よこめ》でふたごを見ました。

「そろそろ、ばけの皮《かわ》がはがれてきたわね」

そのことばでふたごは、さっとおすましにもどりました。

そういえばふたごはここまでずいぶんおとなしかったなとスキッパーは思いました。きっと〈おとなしくするごっこ〉をやっているのにちがいありません。

食事《しょくじ》がすんで、もういちど熱《あつ》いお茶がでて、いよいよスキッパーとハシバミが話すことになりました。ふたりは、さっきポットさんとトマトさんに話したのと同《おな》じ話をしました。なぜハシバミがリュウのいけにえになったのかという話は、トマトさんがしました。

説明《せつめい》が終《お》わると、すこしのあいだ、みんなだまりました。

「信《しん》じられない話だろ」

ポットさんが遠慮《えんりょ》ぎみにいって、またすこし、みんなだまりました。

「ギーコさん、おぼえてる？」

スミレさんがいいました。そしてギーコさんの返事《へんじ》を待《ま》たずに続《つづ》けました。

「いまのスキッパーの話で、最初《さいしょ》に、嵐《あらし》がきそうな感《かん》じがしたっていったでしょう。あたしも四《よっ》日前《かまえ》の夜、そのとおりのことをいったじゃないの。嵐《あらし》がきそうな感《かん》じがするって。おぼえてる？」

ギーコさんはうなずきました。

「それは、何時《なんじ》ごろだい？」

ポットさんがたずねて、スミレさんが考《かんが》えこんだのを見てから、ギーコさんがこたえました。

「九時過《す》ぎ」

「九時過《す》ぎか。四日前《よっかまえ》の九時過《す》ぎというと、ちょうどトワイエさんがうちにいたころだな」

「そうです。ええ、すっかりごちそうに、なって、その、そう、ここを出たのが、十時前、でしたね、ええ。……まてよ」

「どうしたの？」

トマトさんの声がきこえているのかいないのか、トワイエさんは、めがねのまんなかを指《ゆび》でおしあげる形ですこし考《かんが》えてから、スキッパーを見ました。

「スキッパー、きみはその、ええっと、そう、大きな木を見る前に、濃《こ》い霧《きり》のところを、ん、通《とお》ったって、いいましたね」

「木から離《はな》れるときも……」

「それは、つまり、木が、あって」トワイエさんは手で木の形を示《しめ》しました。

「そのまわりを」木のすこし外側《そとがわ》をなでるように手を動かしました。

「霧《きり》が、そう、囲《かこ》んでいた、ということ、ですか？」

「そうかもしれません。よくわからないけど」

「ねえ、トワイエさん、それがどうかしたの？」

待《ま》ちきれずトマトさんがたずねました。なにかに熱中《ねっちゅう》しているらしいトワイエさんは、めがねの奥《おく》で目を右に左に動かしました。

「スキッパー」その目がもういちどスキッパーを見ました。「ハシバミがしばりつけられていた木というのは、たいそう、んん、大きいと、いいましたね」

「ええ」

「それは、どれくらい、あの、大きかったのですか？」

「根《ね》のあたりしか見えなかったんですけど、この家よりずっと大きかったと思います」

ポットさんとギーコさんが、低《ひく》く声を出しました。トワイエさんがたずねます。

「いや、高さのほうは」

「それは、かがり火《び》の明《あか》るさも、ランタンの光もとどかなかったので、わかりません」

とつぜんアケビが早口《はやくち》でいいました。

「木の高さなら、ハシバミにきけばいい」

スグリも早口《はやくち》でつけくわえました。

「ハシバミなら、昼間《ひるま》の木も見てるはず」

ひとことずついったあと、さっとおとなしい態度《たいど》にもどりました。

「なるほど」トワイエさんは小《こ》きざみにうなずきました。「ハシバミ、その大きな木は、このあたりの木とくらべて、んん、どのくらい、その、背《せ》が高いでしょう」

ずっとうつむいてみんなの話をきいていたハシバミは、目をあげてみんなをそっと見ました。

そして、かるくくちびるをかんで、すこし考《かんが》えてから、ひろげた右手をテーブルからわずかに浮《う》かせてみせました。

「このあたりの木」

つぎに、左手を肩《かた》ぐらいの高さまであげました。

「大きな木」

「十倍《ばい》はあるぞ！」

ポットさんがいって、ギーコさんと目をあわせました。ギーコさんは信《しん》じられんというふうに首をふりました。

「ねえ、トワイエさん、どうしてその木の大きさにこだわるの？」

たまりかねてトマトさんがたずねました。

「いや、ぼくは、その、ふしぎなですね、ふしぎな雲を、ええ、見たんです。ぼくの家《いえ》って、木の上に、あるでしょう。で、その夜、十時ごろになりますか、ここから、帰《かえ》って、部屋《へや》にはいる前に、そう、この家と、湖《みずうみ》のまんなかくらいの、森のなかに、実《じつ》にふしぎな、三角《さんかく》にもりあがった形の雲を、ですね……。ほら、満月《まんげつ》だったから、はっきりと、見えたんです。ええ。雲の高さは、そう、ほかの木の、十倍《ばい》はありましたね、ええ」

トワイエさんはみんなをみまわしました。

「霧《きり》というのは、んん、雲と同《おな》じもの、といっても、いいですね？　あたたかくしめった空気と、冷《つめ》たい空気が、ええ、ふれあうとできる。スキッパーは、木の近《ちか》くでは、空気が冷《つめ》たかったと、いったじゃないですか。その昔《むかし》の木が、冷《つめ》たい空気をひきつれて、こちらの、あたたかくしめった空気のところへ、んん、やってきたとすればですよ、当然《とうぜん》、そこに、霧《きり》というか、雲というかが、発生《はっせい》するのではないか、と、ぼくは思ったんです、ええ」

「まあ！　つまり、トワイエさんは、四日前《よっかまえ》の夜、ほんとうに、その木があらわれたんじゃないかって、おっしゃりたいのね」

トマトさんは、すこしからだをひいて、トワイエさんを見ました。

「そういうふうに思うと、よくないかしら？」

スミレさんが首をかしげました。

「いや、よくないっていうんじゃないんだ」ポットさんはとりなすようにいいました。「いいとかわるいとかじゃなくて、その、昔《むかし》からだよ、時間を超《こ》えて、木がやってくるっていうのを納得《なっとく》できるかっていうとね、ぼくはちょっと……ね」

ポットさんは頭をふって、肩《かた》をすくめてみせました。

「かりに、昔《むかし》からその木がやってきたとしてだよ、そのとき、むこうはどうなっているんだい？」

「むこうって？」

トマトさんがたずねました。

「それはその、昔《むかし》のほうだよ。ね、昔《むかし》のほうでは、その木がとつぜんなくなるって寸法《すんぽう》だろ。だって、こっちにきてるんだから」

「ほんとだわ！　ま、たいへん！　ね、むこうはどうなっているの？　トワイエさん」

「それは、その、だいじょうぶなんじゃ、ありませんか？　ああ、つまり、木がその日のその時間に、ですね、もどることができれば、すこしも、なくなっていないって、感《かん》じで……」

「まあ、よかった。それならだいじょうぶねえ」

うなずくトマトさんを横目《よこめ》で見て、ポットさんがいいました。

「じゃあトワイエさん、昔《むかし》のほうはいいとしてだよ。その、こっちの森の広場《ひろば》はどうなるんだろう。いや、森の広場《ひろば》に昔《むかし》の木があらわれたんだろ。昔《むかし》の木があらわれているあいだ、現在《いま》の広場《ひろば》はいったい、どこへ行っていたというんだろう」

「んん、それは……」

トワイエさんも考《かんが》えこんでしまいました。ポットさんはなにか満足《まんぞく》そうにいいました。

「だろう？　この話には、どこか納得《なっとく》できないところがあるんだよ」

「広場《ひろば》はずっとそこにあったんじゃないかな」

おもわずスキッパーはいいました。木がホタルギツネに、「広《ひろ》いところのはしにいて呼《よ》んでくれ」といったということを思いだしたからです。広場《ひろば》にぴったり重《かさ》なるように木がやってきたのではないかと思いました。けれど、木とホタルギツネの会話《かいわ》を話すわけにはいきません。だまってしまったスキッパーを、トワイエさんだけがじっと見ました。

スミレさんは静《しず》かに話をきいていましたが、持《も》ちあげたティーカップを両手《りょうて》で包《つつ》みながらいいました。

「説明《せつめい》がつかないことって、あるんじゃないかしら」

そしてひとくちお茶を飲《の》むと、みんなをみまわしました。

「でもたいせつなことは、昔《むかし》の暮《く》らしをしていたハシバミが、この森にやってきたってこと。これからどうするのがいいのかしらね」

「うちで暮《く》らすのがいいと思うの」そのことについては、もう考《かんが》えていたみたいにトマトさんがいいました。「あ、もちろん、ハシバミがそうしてもいいっていってくればってことよ」

「そりゃいい。ぼくも賛成《さんせい》だ」

ポットさんも笑顔《えがお》でいいました。ギーコさんもスミレさんもうなずいています。

スキッパーは、ぽかんとしてしまいました。これからハシバミがずっとウニマルで過《す》ごすだろうと考《かんが》えていたわけではありません。けれど、急《きゅう》にいなくなるとも思ってなかったのです。

とつぜんふたごが口をひらきました。

「わがまま、わがまま」

「もうがまんできない」

「ひとの話は信《しん》じないくせに」

「そう。ハシバミだけはとりあげようとする」

スキッパーは、ふたごはぼくの気持《きも》ちをわかってくれている、と思いました。けれどふたごは続《つづ》けました。

「ハシバミは、わたしたちと暮《く》らすのがいい」

「そう。女の子は女の子どうしがいい」

「それにきまった。女の子は女の子どうし」

「ねえハシバミは、どう思う？」

スミレさんがふたごにいいました。

「あたしには、ハシバミがあなたたちの暮《く》らしぶりを学《まな》ぶのがいいとは思えませんね」

それからハシバミにいいました。

「うちもひと部屋《へや》あいていますから、いつでもかんげいしますよ」

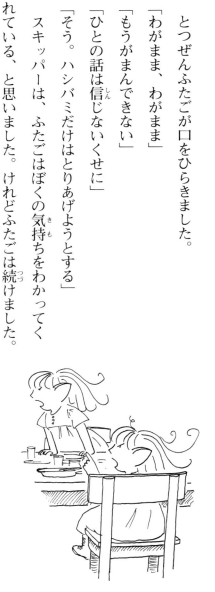

7

ホタルギツネにたずねたいこと

スキッパーが、あ、あ、あ、と思っているうちに、ハシバミは湯《ゆ》わかしの家で暮《く》らすことになってしまいました。

もちろん最後《さいご》にはハシバミの意見《いけん》をききました。けれどハシバミの意見《いけん》をきくまえに、ポットさんやトマトさんが、湯《ゆ》わかしの家なら、畑仕事《はたけしごと》も家事《かじ》も学《まな》べるなどといって、湯《ゆ》わかしの家に住《す》むことを強くすすめたのです。それになにより、トマトさんが、ハシバミにいてほしいと思っていることが、とてもよくわかりました。

「ほかのお家《うち》にもしょっちゅう遊《あそ》びに行けばいいわよ」

トマトさんのことばに、ハシバミはうなずきました。

ハシバミにしても、おふろにいれてくれて、服《ふく》まで用意《ようい》してくれ、ごちそうを出してくれているトマトさんとポットさんの家がいやだという理由《りゆう》はなかったのです。

ひとりウニマルにもどりながら、スキッパーは自分《じぶん》で自分《じぶん》の気持《きも》ちがよくわかりませんでした。ハシバミの世話《せわ》をしなくてもよくなったのに、ほっとした気分《きぶん》ではないのです。それどころか、きょう、みんなに紹介《しょうかい》しなくてもよかったかな、などと考《かんが》えてしまいます。もうすこしハシバミとスキッパーと、そう……ホタルギツネとで暮《く》らしていたら、と思ってしまうのです。

それから、自分《じぶん》の話を信《しん》じてもらえないというのも、はじめてのことでした。

——きみがうそをいっているとは思わないよ。でも、納得《なっとく》できないんだ。

そのことばを、どううけとればよいのかわかりません。

ホタルギツネのことを話したら信《しん》じてもらえるかな、とも思いました。でもそれはできません。

いいえ、それよりも、もしもホタルギツネのことを話したら、ハシバミと同《おな》じように、ホタルギツネまでスキッパーのところから出ていってしまうかもしれない、と思いました。ホタルギツネのことは秘密《ひみつ》にしておこうと、心に決《き》めました。

そのホタルギツネがやってきたのは七時ごろです。ウニマルのはしごをトトンとけって、手すりから甲板《かんぱん》におりたつキツネの足音がきこえました。テーブルにほおづえをついてぼんやりしていたスキッパーは、急《いそ》いで立ちあがりました。

ドアをあけると、ホタルギツネがはいってきました。そのしっぽの輝《かがや》きで、ウニマルのなかはランプをつけたほうがよい暗《くら》さだったことがわかりました。

「きたぜ」

と、キツネがいいました。

「うん」

スキッパーはこたえて、ランプに灯《ひ》をつけました。

「ハシバミは？」

ホタルギツネは室内《しつない》をみまわしてたずねました。

「ポットさんとトマトさんの、湯《ゆ》わかしの家へ行っちゃったんだ」

「ああ、やっぱりな」

「やっぱり？　……そうなるって思ってたの？」

「まあ、な」

「どうして……」

「むずかしい話をする前にだな、もう夕食《ゆうしょく》はすんだかとか、きかないのかい？」

「ああ、夕食《ゆうしょく》はすんだの？」

「なにか出るのなら、いただきたい」

実《じつ》はスキッパーもまだ夕食《ゆうしょく》はすませていませんでした。ふだんならもう終《お》わっている時間だったのですが、きょうはぼんやりしているうちに、この時間になってしまったのです。

マスの水煮《みずに》の缶《かん》づめをあけました。スキッパーはそのひとかけらにマヨネーズをつけ、あとはホットケーキの夕食《ゆうしょく》にしました。

マスの水煮《みずに》はあまり塩味《しおあじ》はついていません。そのせいでしょう、ホタルギツネは首をひねり、

「こいつはうまいな。缶《かん》づめの味《あじ》になれてきやがったのかな」

と、つぶやきました。

食事《しょくじ》を終《お》えると、ホタルギツネの話をきくはずだったのに、スキッパーのほうがさきに、きょうどんなことがあったのか話していました。

キツネは、前足を立ててすわり、ふんふんとうなずきながら話をききました。ハシバミが時間を超《こ》えてやってきたことを信《しん》じてもらえないことについては、こういいました。

「信《しん》じてもらえないのなら、信《しん》じてもらわなくても、べつにかまわないいんじゃないか？」

「ホタルギツネは、木が時間を超《こ》えてきたことを信《しん》じてるんでしょ？」

「そうだよ。でもおれは、木がそういってるから、そういうことにしておくってことにしてるんだ」

「そういうことにしておくって……。目の前であらわれて、目の前で消《き》えたんだよ。信《しん》じるほかないじゃないか」

キツネは、チチチと舌《した》を鳴《な》らしました。

「スキッパー。もしもあの大きな木がだね、時間を超《こ》える力《ちから》ではなく、場所《ばしょ》を瞬間的《しゅんかんてき》に移動《いどう》する力《ちから》をもっていたとしたら、どうなる？　つまりどこか遠《とお》くに昔《むかし》の暮《く》らしをしている村があって、そこに大きな木があったとするのさ。木はそこからこの森に空間《くうかん》を超《こ》えてハシバミをつれてくる。な？　昔《むかし》からくるのと同《おな》じことがおこるだろ？　時間を超《こ》えることを信《しん》じられるなら、場所《ばしょ》を超《こ》えることだって信《しん》じられそうなもんだろ。だがおれは、ここは木のいったことを信《しん》じることにしているのさ。信《しん》じたいから信《しん》じる。信《しん》じたくないやつは信《しん》じなくてもいい。問題《もんだい》は、ハシバミがここでうまく暮《く》らせるかどうかってことだろ」

それはそうかもしれないけれど、とスキッパーは口をとがらせました。

「だが、スキッパー、信《しん》じてもらえないってのは、つらいよな。ハシバミがウニマルからいなくなったのも、ちょいとつらいけどな」

え？　とスキッパーはキツネの顔を見ました。

「ぼくはべつに……、つらくないよ」

「そうかい。だったらいいんだ」

「それよりも、たずねなきゃならないことがいっぱいあったんだ」スキッパーは、急《いそ》いで話しはじめました。「まず、ホタルギツネがなぜことばをしゃべることができるのかってこと。それからなぜしっぽが光るのかってこと。そして、なぜぼくの名前を知《し》っていたのかってこと。そのほかにもあったような気がするけど……」

キツネはすこしだまって天井《てんじょう》をみあげ、立てていた前足を折《お》って楽《らく》な姿勢《しせい》にすわりなおしてから、長い話をはじめました。

「おれは、ふつうのキツネとなにもかかわるところのない若《わか》いキツネだったんだ。ヒトのことばも知《し》らなければ、しっぽだって光っちゃいなかった。じっさいのところ、自分《じぶん》がふつうの若《わか》いキツネだ、なんてことさえ思っちゃいなかった。それが、ある夏のはじめに、それまで暮《く》らしていた草原《そうげん》から旅《たび》に出たのさ。自分《じぶん》の力《ちから》をためしてみたかったんだな。すると、ある森で、ふしぎな力《ちから》をもったやつに出会ったわけだ。そいつがおれを、こんなふうにした。ヒトのことばをしゃべることができて、しっぽが光るようにしたんだ。〈ホタルギツネ〉とおれのことを呼《よ》んだのもそいつさ」

けれど、いったいなぜそんなことをされたのか、またどういうしかけでそんなことができたのか、いっさいわかりませんでした。とにかくとつぜんのことで、キツネはただただおそろしく、その場《ば》を逃《に》げだしてしまったのだそうです。

自分《じぶん》の変化《へんか》におびえおどろき、うろたえたキツネは、生《う》まれ育《そだ》った草原《そうげん》に逃《に》げかえります。けれど、しっぽが光り、人間のことばで考《かんが》えてしまうホタルギツネは、ほかのキツネたちとうまくやっていけなくなっていました。

しかたなく、ホタルギツネは、生《う》まれ育《そだ》った草原《そうげん》からもういちど旅《たび》に出ました。あちらの谷《たに》、こちらの荒野《こうや》と、すむところを変《か》えながら、ひとりぼっちで暮《く》らしました。

何年《なんねん》かたつうちに、しっぽとことばにはすっかりなれてしまいました。光るしっぽは食料《しょくりょう》にする虫を集《あつ》めるのにつごうがよく、敵《てき》から身《み》を守《まも》るのにも役《やく》だちました。ことばのほうは、ものごとを考《かんが》えたり想像《そうぞう》したりするのが、いつのまにか好《す》きになっていました。もう、光るしっぽとことばのない生活は考《かんが》えられないほどにまでなってしまったのです。そしてある日、ふと思いつき、生《う》まれ育《そだ》った草原《そうげん》にもどってみました。すると、知《し》らないキツネばかりがすんでいました。ホタルギツネは、光るしっぽとことばだけではなく、ほかのキツネよりももっと長生《ながい》きするからだになっていたのです。

それを知《し》ったとき、もういちど、あのふしぎな力《ちから》をもったヒトに出会った森に行ってみようと思いました。けれど、どういうわけかその森がわかりません。わからないのですが、あちこちと歩きまわるうちに、どうやらこそあどの森のように思えてきたのだそうです。

いまもホタルギツネはすみかをひとところには決《き》めないで、旅《たび》をして暮《く》らしています。けれど、こそあどの森にはたびたびやってくることにしていました。なんだかなつかしい気分《きぶん》になる森だからです。こそあどの森にやってくると、何軒《なんげん》かある家に近《ちか》よって、住人《じゅうにん》のようすをさぐるのだ

そうです。ヒトのことばがわかるので、ときどきヒトのことばをききたくなるのです。それは昼《ひる》間《ま》にかぎりました。というのは、夜はしっぽが光るので、めだってしまうからです。

「そういうわけで、おれはこの森に住《す》んでいるやつのことを知《し》っていたわけだ」

話が終《お》わると、もう九時をまわっていました。スキッパーは、もっともっとたずねたいことがあるような気がしましたが、ずいぶんつかれていました。

「泊《と》まっていく？」

ホタルギツネはスキッパーをみあげていいました。

「夜明《よあ》けまでここにいるよ。しっぽの光がめだたない明《あか》るさになったら出ていくから。入《い》り口《ぐち》はおせばひらくようにしておいてくれないか」

「あしたの夜もくる？」

「どうして？」

「ぼく、まだたずねたいことがあるんだ」

え、まだあるのか、という感《かん》じで、首をひいたキツネは、すこし考《かんが》えたあと、目をそらせてから、いいました。

「きょうのやつ、まだあるかい？」

「きょうのやつ？」

「ほれ、あのやわらかい魚の……」

「ああ、マスの水煮《みずに》？　あるよ」

「じゃあ、きてやるよ」

よかった、とスキッパーは思いました。入り口《いぐち》のドアには、たきつけ用《よう》の小枝《こえだ》をはさんでおくことにしました。そうすれば、ノブをまわさずにおもてに出ることができるからです。

8

ハシバミの暮《く》らし、キツネの暮《く》らし

つぎの日の朝、スキッパーが目をさますと、キツネの姿《すがた》はありませんでした。

この日は、ふたごといっしょに、ハシバミをつれて、トワイエさんの家へ行くことになっていました。

ハシバミが気をわるくするようなことをふたごがいわないだろうかと、スキッパーは気をもみながら、朝食《ちょうしょく》をすませました。湯《ゆ》わかしの家へ行くと、ふたごはもうきていました。ハシバミは大きすぎない服《ふく》を着《き》て、くつもはいています。トマトさんの小さかったころの服《ふく》とくつというのです。どうやらほんとうに、トマトさんにも小さかったころがあったようでした。

トマトさんは、四人のこどもたちとトワイエさんの昼食用《ちゅうしょくよう》にと、サンドイッチをつくってくれました。バスケットにサンドイッチと四人分《よにんぶん》のカップを入れて、湯《ゆ》わかしの家を出ました。トワイエさんの家では、お茶をわかすことはできても、五人分《ごにんぶん》のカップなんてないのです。

行く道で、アケビとスグリが、トワイエさんの家がどんなようすか、ハシバミに説明《せつめい》しました。

「大きな木の上に、屋根裏部屋《やねうらべや》がのっかっている」

「ずっと前、嵐《あらし》で、屋根裏部屋《やねうらべや》が大きな木の上に飛《と》んできた」

スキッパーが口をはさみました。

「ハシバミは、あれは大きな木だなんて思わないと思うよ」

なにしろ、ハシバミをこの森につれてきてくれた木の大きさときたら、いくらスキッパーが説《せつ》明《めい》しても、ふたごには想像《そうぞう》しきれないのです。でもふたごは負《ま》けてはいません。

「じゃあ、小さな木の上に、屋根裏部屋《やねうらべや》がのっかっている」

「そう、小さな木の上に、嵐《あらし》で、屋根裏部屋《やねうらべや》が飛《と》んできた」

「小さな木はつぶれる」

「ぐしゃっ！」

もうめちゃくちゃです。ハシバミは目をまるくして、スキッパーを見ます。スキッパーは、ふたごがふざけているのが、自分《じぶん》のことのようにはずかしくなってしまいました。でも、気をとりなおしていいました。

「ハシバミには、屋根裏部屋《やねうらべや》ということばは、わからないんじゃないかな」

ハシバミがにっこり笑《わら》いました。

「きのうの夜、ポットさん、絵を描《か》いて、教《おし》えてくれた」

それをきいてふたごは、ポットさんがどんな絵を描《か》いたのかと、おもしろがりました。けれど、スキッパーは、あの長《なが》テーブルのはしでハシバミの横《よこ》にすわって絵を描《か》いているポットさんの姿《すがた》を思《おも》い浮《うか》べました。うしろからトマトさんがのぞきこんで、文句《もんく》をつけたりほめたりしています。

全体《ぜんたい》をランプの光が照《て》らして、なんだか楽《たの》しそうです——。

ほんもののトワイエさんの家をみあげて、ハシバミはいいました。

「鳥の家……？」

「鳥の家、鳥の家」と、ふたごは踊《おど》りました。

〈おとなしくするごっこ〉というのは、すっかりやめてしまっているようでした。

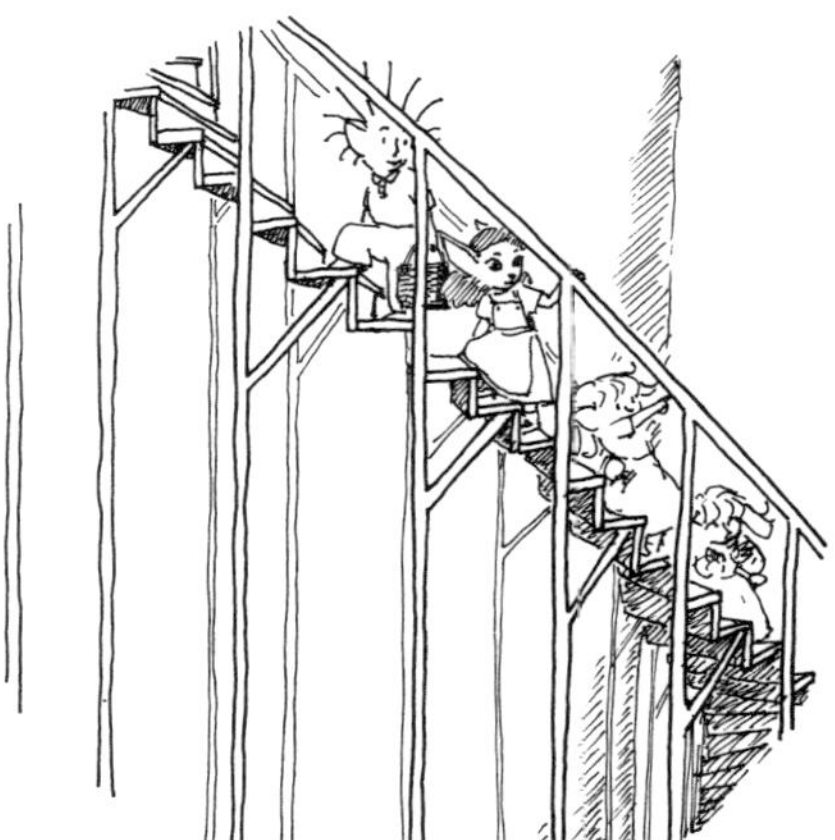

　家にはいって、ハシバミは、本の多《おお》さにびっくりしました。家のなかが本だらけなのです。そしてトワイエさんが、そういった本をつくるひとであるということに、もっとびっくりしました。スキッパーが字を読めることはウニマルで知っていましたが、冗談《じょうだん》ばかりいっているふたごでも字が読めること、さらに字を書くこともできるということを知《し》ったときには、口をぽかんとあけてしまいました。よほど意外《いがい》だったようです。

「ハシバミも、その、すぐに、ですね、字を読んだり、書いたり、ええ、できるように、なると思いますよ」

トワイエさんがいうと、ふたごは自分《じぶん》たちが教《おし》えるといいました。けれどトワイエさんは首を左右《さゆう》にふりました。文字はどちらかというとスキッパーにならったほうがよいだろう、ふたごにはもっとほかに教《おし》えることがありそうだ、というのです。

ふたごはむっとし、スキッパーはにっこりしました。

サンドイッチはレタスとサラミソーセージがはさんであって、とてもおいしいと、みんなの意見《いけん》があいました。

トワイエさんはお茶を飲《の》みながらいいました。

「その、ハシバミ、という名前ですがね、ぼくはどこかで、ん、きいたような気がする。ええ、おぼえがあるんです。いや、そんな気がするだけ、かもしれませんがね」

「アケビという名は、どう？」

「スグリという名は？」

すかさずふたごがたずねました。

「まったくおぼえがありません」

すかさず、トワイエさんもこたえました。

夜、ホタルギツネがやってきて、マスの水煮缶《みずにかん》を食べました。

「それ、好《す》き？」

スキッパーがたずねると、

「ん、まあな」

と、こたえるホタルギツネのしっぽがうれしそうにゆれていました。

食べ終《お》わると、スキッパーはいいました。

「いつもはなにを食べているの？」

ホタルギツネはすこし頭をひいて、スキッパーの顔をみあげました。

「たずねたいことがあるって、そういうことなのかい？」

「こういうことじゃいけない？」

「いや、いけないってことはないけど……」

「質問《しつもん》にはなんでもこたえるっていったよ」

「あ？　ああ。いったらしいな」

「じゃあ、教《おし》えて。ふつうのキツネのころ食べていたものと、ホタルギツネになってからでは、食べるもの、変《か》わった？」

「さっきより質問《しつもん》がふえていないか？」

「ぼく、いろいろ知りたいんだ」

「博物学者《はくぶつがくしゃ》なんかとくらしていると、こういうこどもに育《そだ》つんだな」と首をふりながらも、ホタルギツネはこたえてくれました。

ふつうのキツネのころは、ネズミやウサギ、鳥などを主《おも》に食べていたそうです。そのほかにカエル、昆虫《こんちゅう》などの小さな生《い》き物《もの》や果物《くだもの》も食べることがありました。それがホタルギツネになると逆《ぎゃく》に、昆虫《こんちゅう》や果物《くだもの》を多《おお》く食べるようになったというのです。

「このしっぽの光は、どうやら虫が好《す》きな光のようなんだな。おれがただこうやってころがっていると、虫がむこうから集《あつ》まってくるのさ。そこでおれは口にあう虫だけ選《えら》んで食《く》うってわけ」

「口にあわない虫があるの？」

「あるよ。カメムシとかな。すごいぜ、カメムシのにおいは」

「……でも、虫だけじゃおなかいっぱいにならないね」

「それが、食べる量《りょう》も変《か》わったんだ。昔《むかし》はそれこそずいぶん食べた。一日にネズミ十ぴき以上《いじょう》食《く》ってたこともある。それがカブトムシいっぴきとリンゴひとつで充分《じゅうぶん》になったんだ」

スキッパーはホタルギツネの話のあとで、その日、自分《じぶん》がハシバミとどういうふうに過《す》ごしたかを、話しました。

「ふうん、けっこう楽《たの》しくやってるんじゃないか」

ホタルギツネはあまり興味《きょうみ》がないみたいにいいました。

「ねえ、ホタルギツネはウニマルにやってきたときに、『ハシバミはどうしてる?』ってきかなきゃならなかったんじゃないかなあ」

「どうして?」

「だって、ハシバミのことは、ホタルギツネが、あの木にたのまれたんでしょ」

「そうだよ。だから、ちゃんとしたところにあずかってもらったんで、おれは安心《あんしん》しているんじゃないか」

「安心《あんしん》してちゃだめだよ。どうしてるか気をつけていなくちゃ。とつぜん大きな木に、『あの子はどうしてる?』ってたずねられたらどうするの?」

「スキッパー、心配《しんぱい》ないんだ。だって、おれはいざとなればだな、あの子とは心で話せるんだ」

「じゃあ、いまも話しかけることができる?」

「そりゃだめだ。いざとなってない。おれがどうしても話したいと思って、うん、全身《ぜんしん》でそう思って、はじめて伝《つた》わるんだ。『ねえちょいと、どうしてる』なんてたいくつしのぎに伝《つた》えあえるようなもんじゃないんだ」

「ふうん」

そんな話をしながらスキッパーは、どうしてホタルギツネとなら、こんなに気軽《きがる》に話せるのだろうとふしぎでした。きんちょうしたり口ごもったりしないで、思ったまま話せるのです。

「あしたもくる？」

「まだたずねたいことがあるのか？」

「たずねたいことと…、マスの水煮《みずに》があるんだ」

「きてやるよ」

その返事《へんじ》のしかたで、カブトムシって、ほんとうはあまりおいしくないんじゃないだろうかと、スキッパーは思いました。

つぎの日、スキッパーとふたごとハシバミは、ギーコさんとスミレさんのガラスびんの家へ行きました。昼《ひる》ごはんは、スミレさんがつくった干《ほ》しぶどうのパイと、カオリネギとジャガイモのスープです。

スミレさんは、昼《ひる》ごはんを食べながら、ハシバミという木について伝《つた》えられていることを、教《おし》えてくれました。

「ハシバミという木はね、〈英知《えいち》の木〉っていわれているの。英知《えいち》っていうのは、ものごとのとても深《ふか》い意味《いみ》をわかる知恵《ちえ》、ほんとうにかしこいってこと。井戸《いど》を掘《ほ》るとき、どこから水が出るか占《うらな》うひとは、ハシバミの枝《えだ》を使《つか》ってさがすの。ハシバミが英知《えいち》の木だからね」

ハシバミはほおを赤くして、自分《じぶん》はかしこくない、といいました。するとスミレさんは、

「あたしは、ハシバミは名前のとおりの子だと思いますよ」

と、ほほえみました。スキッパーとふたごは顔をみあわせました。いままでにスミレさんがだれかのことを、こんなにほめたことはなかったからです。

ハシバミはギーコさんの大工道具《だいくどうぐ》に深《ふか》く心を動かされたようでした。ひとつひとつの道具《どうぐ》について、どう使《つか》うのかたずねました。ギーコさんはたずねられたことにはていねいにこたえました。

その日の夜、ウニマルにやってきたホタルギツネは、まずこういいました。

「やあ、スキッパー。ハシバミはどうしてる？」

スキッパーはその日《ひ》のことを話してから、地下倉庫《ちかそうこ》におりて缶《かん》づめをとってきました。マスの水煮《みずに》の缶《かん》を見ただけで、ホタルギツネはしっぽをふりました。

その日スキッパーがたずねたのは、ホタルギツネが寝《ね》たり食べたりしていないときは、どんなふうに過《す》ごしているかということでした。

「スキッパーはどうしてるんだ？」

逆《ぎゃく》にホタルギツネがききました。スキッパーは、散歩《さんぽ》をしたり、本を読んだり、化石《かせき》を見たり、星を観察《かんさつ》したりするとこたえました。

ホタルギツネは、散歩《さんぽ》をするか考《かんが》えごとをするのだそうです。

「しかしその、本があるってのは、うらやましいな」

ホタルギツネは書斎《しょさい》のほうをふりかえりながらいいました。

「ホタルギツネは、字が読めるの？」

「読めなくってか。おれはことばをもらったときに、人間の知識《ちしき》ももらったらしくてな。森のはずれに立ててあった立て札《ふだ》の字が、はじめて読めたときには、びっくりしたし、うれしくもあったな」

「なんて書いてあったの？」

「〈このあたりで狩《か》りをしてはいけません〉って書いてあったんだ」

　ホタルギツネはそのときのことを思いだして、ホッホッホと笑《わら》いました。

もちろん、スキッパーは
キツネが笑《わら》うのを見るのは、はじめてでした。

「字を書くことも、できるの？」

「ペンをにぎれるんなら、縄《なわ》だってほどけてるさ」

そりゃそうだとスキッパーはうなずきました。

「本を読みたい？」

「ああ、読んでみたいな」

「読んでいいよ」

「ええ？　ほんとかい？　ほんとにいいのかい？」

キツネはスキッパーがおどろくほどよろこびました。

書斎《しょさい》に行きました。

「でも、おれ、ページをめくれるかなぁ」

スキッパーは『キツネ物語』という本を抜《ぬ》きだし、テーブルの上に置《お》きました。キツネは椅子《いす》に飛《と》びのって、爪《つめ》をたてないように注意《ちゅうい》して、ページをめくってみました。

「めくれる」

キツネのしっぽがゆれていました。

つぎの日、スキッパーとハシバミは、湖《みずうみ》のふたごの家に行きました。トマトさんは、あの家じゃお菓子《かし》のようなものしか出ないはずだから、といって、四人分《よにんぶん》のサンドイッチをつくってくれました。

ハシバミがふたごの住《す》んでいる巻貝《まきがい》の形《かたち》の家をすてきだといったので、ふたごはとても気をよくしました。ヨットは、それを使《つか》って漁《りょう》をするのだとハシバミは思ったようです。遊《あそ》ぶための舟《ふね》なんて想像《そうぞう》できないのだそうです。午後《ごご》は四人《よにん》でヨットに乗《の》りました。ハシバミは、風が吹《ふ》いてくる方向《ほうこう》へもジグザグに舟《ふね》が進《すす》めるということが、ふしぎでたまらないようでした。

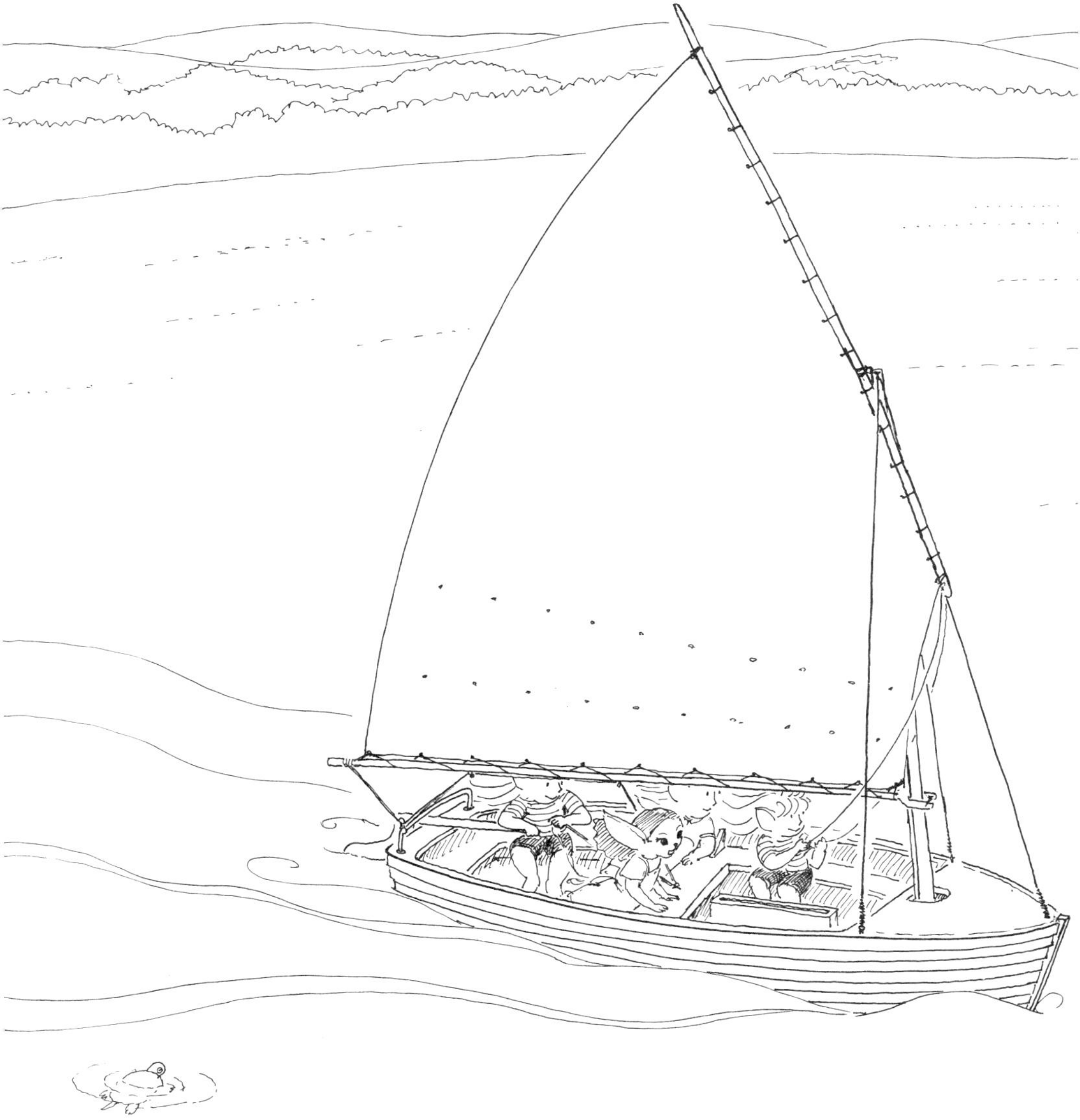

その日の夕方《ゆうがた》、スキッパーが家にもどると、ホタルギツネはもうウニマルにいました。スキッパーがいなくてもはいれるように、ドアに小枝《こえだ》をはさんでおいたのです。ホタルギツネは本を読んでいました。あまり熱心《ねっしん》に読んでいるのでスキッパーが注意《ちゅうい》したほどです。

「ときどき目を休めて、からだを動かしたほうがいいよ。目が悪くなったり、運動不足《うんどうぶそく》になったりするからね」

夜は、読んだ本の感想《かんそう》や、昼間《ひるま》のハシバミのようすについて話しました。

こうしていつのまにかホタルギツネは、ほとんどウニマルにいつくようになり、缶《かん》づめもマスの水煮《みずに》だけでなく、レバーペーストからいちじくのシロップづけまでいろいろ食《た》べるようになりました。

ハシバミはといえば、湯《ゆ》わかしの家での暮《く》らしにすっかりなれました。話しかたもトマトさんに似《に》てきたように、スキッパーは思います。毎日《まいにち》のようにだれかの家にでかけ、いろんなことを教《おそ》わりました。ハシバミひとりででかけることもありましたし、スキッパーやふたごといっしょのときもありました。

たとえば、ギーコさんには、のこぎりやかなづちの使《つか》いかたを教《おそ》わりました。スミレさんにはハーブの利用法《りようほう》を、ポットさんには畑《はたけ》の仕事《しごと》を、トマトさんには料理《りょうり》と裁縫《さいほう》を、ふたごにはヨットの操縦《そうじゅう》とお手玉《てだま》とあやとりとケーキの焼《や》きかたを……。

それは、みんながハシバミからいろんなことを教《おそ》わるということでもあったのです。のこぎりやはさみからヨットまで、さまざまなものにハシバミが心の底《そこ》からおどろき、感心《かんしん》するので、みんなはその道具《どうぐ》やもののすごさにあらためて気づくことになりました。何千年何百年《なんぜんねんなんびゃくねん》もかかって、何千人何百人《なんぜんにんなんびゃくにん》もが手を加《くわ》え、工夫《くふう》して、ひとつひとつの道具《どうぐ》やものができあがっていたのです。

草や野菜《やさい》を食べたり利用《りよう》したりするのは、みんなのいのちと、草や野菜《やさい》のいのちがつながることなのだと、ハシバミはいいました。

ヒトとモノがつながっていておちつく、という「サユル、タマサウ、ココロ」ということばも何度《なんど》か口にしました。それをきいたトワイエさんは、タマサウは、タマシイがアウという意味《いみ》ではないかといいました。

スキッパーがハシバミに教《おし》えることになったのは文字です。毎日《まいにち》すこしずつ勉強するのがいいとトワイエさんがいったので、ほとんど毎日《まいにち》、午前中《ごぜんちゅう》に一時間ほど、ハシバミはウニマルにやってきました。

スキッパーとハシバミが文字の勉強を広間《ひろま》のテーブルでしているとき、ホタルギツネは書斎《しょさい》で本を読むことにしていました。ホタルギツネはおとなの知識《ちしき》を与《あた》えられていたのでしょう、スキッパーにはむつかしい本さえ読んでいるようでした。といっても、本棚《ほんだな》からの本の出し入れはスキッパーにたのまなければなりませんでした。

あるときスキッパーが、

「ねえ、ホタルギツネ」

と話しかけると、キツネは、

「その、ホタルギツネってのは、すこし長いかなと思うんだ。ホタルって呼《よ》んでもいいぜ」

と、いいました。

それ以来《いらい》、スキッパーとハシバミは、そう呼《よ》ぶことにしました。

9

はじまりの樹《き》の神話《しんわ》

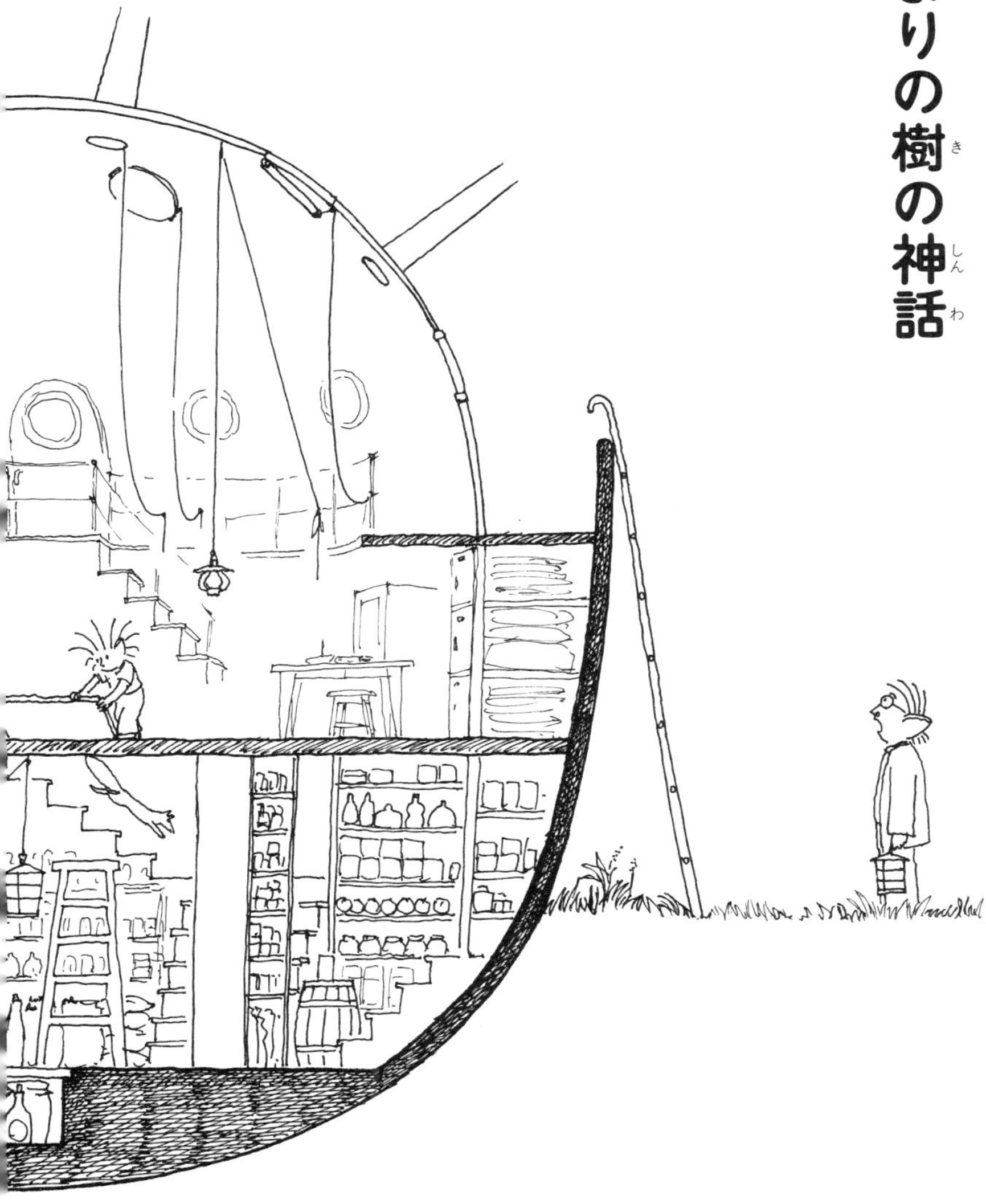

そんなある日のことです。

夕食《ゆうしょく》を終《お》えたスキッパーとホタルギツネが、ウニマルの広間《ひろま》で話していると、外で声がしました。

「スキッパー、スキッパー、ちょっと、その、いいですか？」

トワイエさんの声です。スキッパーは、

「ホタル！」

と、小さく声をかけ、広間《ひろま》の床《ゆか》にある地下倉庫《ちかそうこ》の入《い》り口《ぐち》をひきあげました。キツネは地下《ちか》に飛《と》びおりながらいいました。

「トワイエさんひとりなら、そういってくれ」

なぜそんなことをいうんだろうと思いながら、スキッパーは地下倉庫《ちかそうこ》への入《い》り口《ぐち》を閉《と》じました。

ウニマルの甲板《かんぱん》に出ると、夕暮《ゆうぐれ》の空はまだ明《あか》るさを残《のこ》しています。はしごの下にトワイエさんが立っていました。灯《ひ》のついていないランタンを持《も》っています。ひとりです。

「いま、いいですか？」

スキッパーは、うなずきました。

「あがっていいですか？」

「どうぞ」

トワイエさんははしごをのぼり、甲板《かんぱん》におり、広間《ひろま》にはいりました。スキッパーはエヘンとせきばらいをしてから、たずねました。

「トワイエさんひとり、ですか？」

とつぜんの質問《しつもん》に、トワイエさんはすこしおどろいたようでした。

「え？……ええ、……その、あとからだれかがくるという計画《けいかく》は、ええ、ありません。ぼく、ひとりです」

机《つくえ》の上にランタンを置《お》きながら、トワイエさんがこたえました。そのとたん、床《ゆか》の下から声がきこえました。

「トワイエさんよ、ひさしぶりだな」

トワイエさんは、びくっとしました。スキッパーもです。

「し、下にだれか、いるのですか？」

「おれがだれだか、あててみな」

トワイエさんは、スキッパーの顔と床《ゆか》をみくらべました。スキッパーも、どんな顔をすればいいのか、わかりません。

「おれの声を忘《わす》れちまったのかい？」

「いいえ、忘《わす》れてはいません。でも、まさか……、いや、やっぱり……ホタルギツネさん、あなたでしょう」

スキッパーはぽかんと口をあけてしまいました。ホタルギツネのことを知っているのは、スキッパーとハシバミだけだと思っていたのに、トワイエさんは、もっと前からホタルギツネを知《し》っていたようなのです。

「スキッパー、出してくれ」

入《い》り口《ぐち》をひきあげると、ホタルギツネが飛《と》びだしてきました。

「しばらくだな」

「いや、これは、これは。ええ、ええ、ほんとにおどろきました。いや……、しかし、ホタルギツネさんは、あの、できるだけ、人間の前にはあらわれないように、ひと前では、その、しゃべらないようにしているのでは、なかったですか？」

「そうだよ。だから、トワイエさんひとりだとわかったから出てきたんじゃないか」

「え？」

トワイエさんはスキッパーの顔をちらりと見て、そうか、それでか、とうなずきました。

「いや、しかし、なぜスキッパーと……、なぜウニマルに……、その……」

「これが話せば長いんだよ。まあ、すわろうじゃないか」

たまらずスキッパーは、わりこみました。

「トワイエさんはなぜホタルを、ホタルギツネを、知っているんですか？」

こたえたのは、キツネでした。

「ああ、スキッパー、つまり、おれとトワイエさんは、たまたま森のなかで、いっしょに雨《あま》やどりをしたことがあるわけだ。ちょいと前にな。で、そのときにいろいろ話をしたってわけさ」

「どうしていままで、そのことをいわなかったの？」

「あ、かくしていたわけじゃないんだ。その、あれだよ。あの日はふだんのおれじゃなかったんだ。ふだんのおれなら……」

「ええ、その、歌もうたいましたね」

なつかしそうにトワイエさんがいうと、キツネは顔をしかめ、横目《よこめ》でトワイエさんを見ました。

「ああ、いっちまいやがった。ちぇっちぇっ、それがてれくさくてスキッパーには話さなかったんだ、おれは。ほんとにどうかしていたんだ。ああ、こんな話になるんなら、出てきてやらなきゃよかったな」

「いや、これは、これは……。わるかったですね。はい、もう、その話はしません」

そうだったのか、とスキッパーは思いました。歌をきいてみたい気もしましたが、いうのはよしました。

ホタルギツネは気をとりなおして、自分《じぶん》が大きな木としりあいになったところから話しだしました。

スキッパーはそれをききながら、ホタルギツネに水を、トワイエさんと自分《じぶん》のためにお茶を用意《ようい》しました。

話をきいていると、からだじゅうで呼《よ》びかけるというのを教《おし》えたのは、トワイエさんのようでした。そして、ホタルギツネはあの夜、はじめからスキッパーにたのもうと思ったのではなく、まずトワイエさんを呼《よ》びにいったのだということもわかりました。トワイエさんが留守《るす》だったので、ウニマルにきたのです。

「でも、その、どうしてポットさんを、んん、呼《よ》ぼうと、思わなかったのでしょう」

トワイエさんがたずねました。

「そりゃあ、スキッパーのほうが信《しん》じてくれるように、おれには思えたんだ」

ホタルギツネのこたえをきいて、スキッパーはうれしく思いました。

「そうか、そういう……、そういうことだったのですか。それでスキッパーは、夜の森へはいっていったんですね」

と、トワイエさんはうなずきました。

ホタルギツネはそのあと、どうして自分《じぶん》がウニマルにしょっちゅうくるようになったのかというところまで話すと、ゆっくり立ちあがりました。

「ところで、トワイエさんよ。なにかスキッパーに話すことがあったんだろ」

「そう、そうです、そうです。いまの話ですっかり忘《わす》れていました」

「おれは、外に出ていようか」

「いやいや、ホタルギツネさんも、ええ、いてください。というのは、なにしろ、ハシバミのことなんですから」

スキッパーと腰《こし》をおろしたホタルギツネは、トワイエさんの顔を見ました。

「ぼくは、その、ハシバミという名前をきいたときから、いえ、もしかすると、ハシバミという名前と、大きな木ということばをきいたときから、かもしれませんが、とにかく、どこかできいた気がすると、ええ、心にひっかかっていた、というわけなんです」

そこまで話して、トワイエさんは、ひとくち紅茶《こうちゃ》をすすりました。

「それが、ええ、きょう、わかったんです。というのか、物語のための、調《しら》べものをですね、していたら、ええ、ぐうぜんに出てきたんです。神話《しんわ》なんです」

「シンワ？」

スキッパーがつぶやきました。

「ええ、神話《しんわ》。世界はこうして始《はじ》まった、という、とてもとても古《ふる》くからある、お話」

うなずきかけて、スキッパーはとつぜん大きな声を出しました。

「ええ⁉」

「おい、おどかすなよ」

キツネはびくっとしました。

「まさか、あの、《はじまりの樹《き》の神話《しんわ》》？」

ことばにつまるスキッパーに、トワイエさんは大きくうなずきました。

「ええ、よく知っていましたね。そうなんです。あの、《はじまりの樹《き》の神話《しんわ》》」

「おい、ちょっと待《ま》てよ。なんだ？　その、あの《はじまりの樹《き》の》ってのは」

「ああ、ホタルギツネさんは知らなかったんですね。神話《しんわ》のひとつに、大きな木の話が、ええ、あるんです。スキッパーは、全部《ぜんぶ》、その、読んだのですか？」

「いえ、前に、バーバさんがくれた本に、短《みじか》く書いてあるものがあって……」

「ああ、そう、そうでしょうね。あれはとても長いお話ですから。めったに、全部《ぜんぶ》読むひとは、はい、いないですね。ぼくも、ずいぶん前に、町の図書館《としょかん》で、ざっと、読んだきりだったんです。ええ。それがきょう、とつぜん、別《べつ》の資料《しりょう》を読んでいるときに、出てきた、というわけです」

「ええい、じれったいなあ。どんな話か教《おし》えてくれよ」

キツネは前足で床《ゆか》を、たたきました。

「ええ、ええ、わかりました。お話ししましょう」

トワイエさんは、もうひとくち紅茶《こうちゃ》をすすり、椅子《いす》にすわりなおしました。そして〈はじまりの樹《き》〉の話をはじめました。

はじめ、世界《せかい》は闇《やみ》、大地《だいち》は泥《どろ》でおおわれていた。あるとき、闇《やみ》の空《そら》から一粒《ひとつぶ》の種《たね》が落《お》ちてきた。種《たね》は闇《やみ》の泥《どろ》に落《お》ち、そこで芽生《めば》え、根《ね》をはった。根《ね》は泥《どろ》をつなぎとめ、最初《さいしょ》の地面《じめん》ができた。やがて芽《め》はのび、育《そだ》って、はじまりの樹《き》となった。闇《やみ》のなかで、巨大《きょだい》なはじまりの樹《き》の幹《みき》の頂《いただ》きに巨大《きょだい》な蕾《つぼみ》がふくらみ、花《はな》がひらいた。花《はな》が散《ち》り、巨大《きょだい》な実《み》ができた。実《み》にひびがはいると、四方《しほう》に光《ひかり》がもれ、実《み》が割《わ》れると太陽《たいよう》が生《う》まれた。つぎの実《み》からは月《つき》が生《う》まれた。そこで樹《き》は数《かぞ》えきれない枝《えだ》をのばし、数《かぞ》えきれない花《はな》を咲《さ》かせ、実《み》をつけた。実《み》から、数《かぞ》えきれない星《ほし》が生《う》まれた。太陽《たいよう》と月《つき》と星《ほし》が空《そら》をめぐりはじめると、樹《き》はさらに大《おお》きくなった。葉《は》をしげらせ、花《はな》を咲《さ》かせ、実《み》を結《むす》んだ。実《み》からは数《かぞ》えきれない種類《しゅるい》の植物《しょくぶつ》が生《う》まれ、虫《むし》が生《う》まれ、鳥《とり》が生《う》まれ、魚《さかな》が生《う》まれ、貝《かい》が生《う》まれ、けものが生《う》まれた。植物《しょくぶつ》や虫《むし》や鳥《とり》、魚《さかな》、貝《かい》、けものは、いったん実《み》から生《う》まれると、あとは自分《じぶん》たちで子孫《しそん》をふやした。

草《くさ》と花《はな》と木《き》でおおわれた大地《だいち》がひろがり、はるかかなたに青《あお》い海《うみ》がひろがるころ、はじまりの樹《き》の実《み》から、ヒトが生《う》まれた。

「ここまでが、その、有名《ゆうめい》なところなんです。スキッパーも、ここまでは、だいたい、知っていたでしょう？」

「ええ」

トワイエさんとスキッパーがうなずきあっていると、ホタルギツネがいらついた声を出しました。

「おいおい、どこにハシバミが出てくるんだよ。それとも、なにか？　あのハシバミをつれてきた木が、その話の〈はじまりの樹《き》〉だとでも？」

トワイエさんはまじめな顔でキツネを見ました。

「……そう、思っているんです」

「冗談《じょうだん》じゃないよ……」

「もうすこし、話を、ええ、きいてください。

このあと、〈はじまりの樹《き》〉は、ヒトにいろんなものを、んん、与《あた》えていくんです。〈火〉とか、〈ことば〉とか、〈音楽〉〈服《ふく》〉〈絵画《かいが》〉とかね。それの、ひとつひとつに、お話があるんです。だれそれが〈樹《き》〉の下で、んん、こういう形の実《み》が、その、落《お》ちてくるのを、みつける、と。それを割《わ》ると、なかから……、といったふうに、ですね、もう、いろんな話が、ずうっと、続《つづ》くわけです。それこそ、愛《あい》することも、憎《にく》むことも、家に住《す》むことも、料理《りょうり》することも、すべて、人は〈樹《き》〉から、もらったり、教《おし》えてもらったり、気づかされたり、するんですね。で、そのなかに、金属《きんぞく》と戦《たたか》いを教《おし》えてもらうところが、ええ、あるんです」

「そこに、ハシバミが出てくるって？」

ホタルギツネが口をはさみました。

「そう、そうなんです」

「金属《きんぞく》と戦《たたか》い？」

スキッパーもたずねました。

「ええ、金属《きんぞく》と戦《たたか》い」

スキッパーとホタルギツネは顔をみあわせました。それはいかにもハシバミには似《に》つかわしくないことばにきこえました。トワイエさんは続《つづ》けました。

「ぼくが、その、調《しら》べていたのは、金属《きんぞく》のことだったんです。すると、その、金属《きんぞく》を人間が手に入れたことについては、んん、こういった神話《しんわ》がある、と、引用《いんよう》、あ、その、ひとつの本のなかに、別《べつ》の本の内容《ないよう》が参考《さんこう》に書かれていることを、引用《いんよう》といいますが、そう、引用《いんよう》されていた、というわけで、これが、その、写《うつ》しです」

トワイエさんは、ポケットから折《お》りたたんだ紙をとりだしました。

「いや、ぶ厚《あつ》い本で、持《も》ってくるのが、ええ、重《おも》かったもので、ね。これが、引用《いんよう》されていたところ、すべてです。読みますね」


さて、はじまりの樹《き》にリュウがすみついた。戦《たたか》うことを知《し》らぬ人々《ひとびと》にはいけにえを出《だ》すことしか思《おも》いつけなかった。最初《さいしょ》のいけにえはハシバミという娘《むすめ》だった。

（トワイエさんは、どうです？　というふうに、目をやり、スキッパーとキツネはトワ

イエさんから目を離《はな》すことができませんでした）

満月《まんげつ》の夜《よる》、人々《ひとびと》ははじまりの樹《き》の下《した》にかがり火《び》をたき、ハシバミを樹《き》にしばりつけた。そして太鼓《たいこ》と歌《うた》と踊《おど》りをささげ、ひきあげた。

（スキッパーとキツネは思わずうなずいてしまいました。そうだ、そのあと時間を超《こ》えるんだ、と思ったのです）

すると樹《き》の上《うえ》から大《おお》きな実《み》が落《お》ちてきた。実《み》が割《わ》れるとなかから光大神（ヒカリノオオカミ）があらわれた。光大神《ヒカリノオオカミ》はハシバミの手足《てあし》の縄《なわ》をほどくと、耳《みみ》もとでいった。

――戦《たたか》え

やがてリュウが樹《き》の上《うえ》からおりてきた。ハシバミはリュウと戦《たたか》った。戦《たたか》いながら樹《き》の上のほうへリュウをさそった。最初《さいしょ》の枝《えだ》のかげにかくれていた光大神《ヒカリノオオカミ》があらわれ、リュウは目をくらませて大地《だいち》に落《お》ち、息絶《いきた》えた。リュウの腹《はら》からひとふりの剣《けん》が出《で》た。それは金属《きんぞく》でできていた。

こうして人々《ひとびと》は、戦《たたか》うことを知《し》り、金属《きんぞく》を手《て》にいれた。

「と、これで、全部《ぜんぶ》です」

トワイエさんがキツネとスキッパーの顔を、みくらべるように見ました。

「あのハシバミのこと、みたいに、きこえるな」

キツネがつぶやくようにいいました。

「そうでしょう。これが、その、ぐうぜんだとしたら、むしろ、その、不自然《ふしぜん》ですね」

トワイエさんは自分《じぶん》でいいながら、こまかくうなずきました。

「あの、トワイエさん、その神話《しんわ》、それ、いつごろの話なんですか」

スキッパーがたずねました。

「そうですね、書かれたのは千年以上《せんねんいじょう》前だと思いますが、んん、その、それより、ずっとずっと前、もしかすると数千年《すうせんねん》も昔《むかし》からこの話は伝《つた》わっていた、と、考《かんが》えられていますね。ええ」

「トワイエさんよ。もしもその神話《しんわ》のハシバミとあのハシバミが同《おな》じハシバミだとすると、数千《すうせん》年《ねん》も昔《むかし》からやってきたかもしれないってわけかい？」

「ええ、まあ、そういうことに」

「そりゃ、ぶったまげた話だな」

「でも……」

スキッパーはいいかけて、どういえばいいのか、わからなくなりました。

「そう、そうなんです」

トワイエさんがひとさし指《ゆび》をたてて、二度三度《にどさんど》うなずきました。

「もしも、あのハシバミが神話《しんわ》のハシバミなら、この話が成立《せいりつ》しないことに、ええ、なってしまう……」

「いいじゃないか」ホタルギツネがいいました。「しったこっちゃないよ。あとはその、なんだ、光大神《ヒカリノオオカミ》？　そのひとがリュウと戦《たたか》ってくれるよ。そうでなきゃ、別《べつ》のハシバミがあらわれるんだ、きっと」

「さあ、それは、どうでしょう」

トワイエさんは首をかしげました。

「それよりも」とホタルギツネはいいました。「その話をハシバミにするのかい？　あれだけリュウをおそれていたんだぜ」

みんな、すこしだまって床《ゆか》や自分《じぶん》のひざをみつめました。

トワイエさんが、ことばを選《えら》びながらいいました。

「ハシバミには、いわないほうが、いいんじゃ、ないでしょうかね。ぼくはその、とりあえず、このことを、スキッパーだけにはいっておこうと思って、こうしてやってきたんですけど、ええ。ぼくたち三人《にん》だけのことに、しておきましょう」

「ふたりといっぴき」

ホタルギツネがいいなおしました。

トワイエさんは、ずいぶんおそくなったことをあやまって、ランタンに灯《ひ》をつけました。ウニマルを出る前にホタルギツネをふりかえると、自分《じぶん》の家にも遊《あそ》びにくるようにいい、さいごにつけくわえました。

「ちょっと、太《ふと》ったんじゃありませんか？」

10

戦《たたか》え、といったのは

それからしばらくたったある日のことです。

いつものようにハシバミがウニマルにやってきて、文字の勉強をはじめようとしていました。

ホタルギツネは書斎《しょさい》で読書です。

ハシバミは、いつだって熱心《ねっしん》な生徒《せいと》でした。けれどその日にかぎっては、別《べつ》のことを考《かんが》えているようにみえました。どうしたのかなとスキッパーが思っていると、とうとう鉛筆《えんぴつ》をおいて、手をひざの上にそろえ、あのまっすぐみつめる目でスキッパーを見ました。

「スキッパー。わたし、もどらなければならないと思うの」

なんの話をしているのか、スキッパーにはわかりませんでした。

「もどるって……、どこへ」

「わたしの村に、昔《むかし》に」

「昔《むかし》に、もどる……？　昔《むかし》にもどりたいって？　ねえ、ホタル」

「きこえてたよ」

スキッパーが書斎《しょさい》に声をかけるよりはやく、ホタルギツネは広間《ひろま》にはいってきました。そしてスキッパーの椅子《いす》のとなりに腰《こし》をおろすと、ハシバミにいいました。

「だが、おまえさんの昔《むかし》には、リュウがいるんだぜ」

ハシバミはうなずきました。

「わたしは、そのリュウのために、もどりたいの」

ホタルギツネは、あきれたように口をあんぐりとあけました。

「そりゃいったいどういうことだ。ハシバミ、おまえさんはあれほどこわがっていたじゃないか。リュウのことを思いだすだけで、ふるえたじゃないか。それからあとも、リュウの話はしたがらなかったじゃないか」

ハシバミは、ホタルギツネのことばを、ひとつひとつうなずきながらききました。

「そのとおりよ、ホタル。でも、きいてちょうだい」

ハシバミは、スキッパーとキツネをかわるがわる見ながら、話しました。

「わたしは、ほんとにこわかった。だから逃《に》げだした。そして、思いだすのもいやだった。でも、思いだしたくなかったのは、こわかったせいだけじゃない。自分《じぶん》がはずかしいってこともあったの。村のためにいけにえになるっていったのに、逃《に》げだした。きっとあのあと、リュウは村のこどもたちをおそったにちがいないわ。もしかすると、わたしの弟《おとうと》や妹《いもうと》がおそわれたかもしれない。そう考《かんが》えると、ほんとうにつらくて、こんなに平和《へいわ》に暮《く》らしている自分《じぶん》がはずかしくて……、だからわたし、前の暮《く》らしのことやリュウのことは考《かんが》えないようにしていたの。

でも、このまえ、ポットさんが、わたしにこういったの」

それは、ポットさんといっしょに畑《はたけ》のホウレンソウをとりいれたあとの会話《かいわ》でした。

――なあ、ハシバミ。きみが村を出るきっかけになったという、リュウのことなんだけどね。いや、リュウの話をきみがしたくないのはわかっているから、もうしない。でも、一度《いちど》だけいっておきたいんだ。がまんして、きいてくれ。ぼくは最初《さいしょ》にその話をきいたときから、ふしぎに思っていたんだ。どうしてはじめからささげものやいけにえを出すことに決《き》めちゃったんだろうってね。どうしてリュウのきげんをとらなきゃいけないんだい？　リュウの気分《きぶん》をそこねるとひどいことでもおこるのかい？　どうしてみんな戦《たたか》わなかったんだ。

――タタカウ……？

「わたし、戦《たたか》うってことばを知らなかったから、そうたずねかえしたの」

ハシバミのことばに、スキッパーの腕《うで》のあたりに鳥肌《とりはだ》がたちました。ホタルギツネも大きく目をみひらいていました。ハシバミの話は続《つづ》きました。

戦《たたか》う、ということばを説明《せつめい》しようとして、ポットさんはすこし考《かんが》えたそうです。そしてこういいました。

――戦《たたか》うっていうのは、まず相手《あいて》をよく見ることさ。逃《に》げたり、目をそらしたりしないで、見きわめる。相手《あいて》が何者《なにもの》かを知るんだ。それから、よく考《かんが》えて、どうしてもほかに方法《ほうほう》がなければ、やっつけるんだ。

――ヤッツケル……？

――殺《ころ》すのさ。

――殺《ころ》す!?

ここではじめてハシバミは、ポットさんのいっていることがわかりました。なんとおそろしいことをいうのでしょう。

――おいおい、そんな目でぼくを見るなよ。きみたちだって、イノシシやシカを食べるだろ。そのためには殺《ころ》すじゃないか。

ハシバミは、イノシシやシカを殺《ころ》すときは、そのタマシイがもういちどイノシシやシカとして生《う》まれてくるように、感謝《かんしゃ》と祈《いの》りのことばで、タマシイの世界に送《おく》り返《かえ》すのだといいました。それはヒトとイノシシやシカとのあいだで大昔《おおむかし》に決《き》めたことで、だからこそ肉《にく》も皮《かわ》も角《つの》も牙《きば》もきちんと利用《りよう》することになっているのだというのです。けれど、リュウを殺《ころ》すというのはそれとはちがう。考《かんが》えられない、おそろしいことだといいました。

――ちょっと待《ま》てよ、ハシバミ。きみたち、リュウに食べられてもいいのかい？　いやなんだろ？　だったら抵抗《ていこう》すればいいじゃないか。戦《たたか》うんだよ。そのリュウってのと、だれか戦《たたか》ってみたのかい？　やめてくれとか、どこかへ行ってくれとかいってみたのかい？　はじめからいけにえとしてだれかをさし出すっていうんだろ。そこんところがぼくには納得《なっとく》がいかないんだよ。

このポットさんのことばは、ハシバミの心を強くゆさぶりました。リュウと戦《たたか》う。そんなことは夢《ゆめ》にも思わなかったのです。けれど、二日《ふつか》たち三日《みっか》たちすると、それはできるかもしれないことのように思われてきました。

リュウの姿《すがた》をよく見ることもせず、ただこわがってばかりいたのは、まちがっていたのかもしれない。もしもわたしにできなくても、戦《たたか》えることをみんなに知らせることができるかもしれない。

「そう思うと、もう、どうしても帰《かえ》らなくちゃって気持《きも》ちになってきたの。ねえ、ホタル、もういちどあの木にここまできてもらえれば、わたし、帰《かえ》ることができるんじゃないかしら」

そこまで話してハシバミは、スキッパーとホタルギツネがちらちらと視線《しせん》をかわしあっているのに、ようやく気がつきました。

「どうかしたの？」

ハシバミがたずねるのにはこたえず、スキッパーは小声《こごえ》でホタルギツネにいいました。

「どうする？」

「ここはひとつ、トワイエさんの考《かんが》えってやつをききたいところだな」

ホタルギツネはこたえました。スキッパーも、それがいいと思いました。

「ねえ、なんのこと？　どうしてホタルがトワイエさんを知っているの？」

ハシバミの質問《しつもん》をはぐらかすようにホタルギツネがいいました。

「あの、ハシバミをつれてきた大きな木、な、あれは、おまえさんの村じゃ、いったいいつからそこに立ってるってことになっているんだ？」

ハシバミは、こたえました。

「すべてのはじまりからあるのよ」

スキッパーの腕《うで》に、もういちど鳥肌《とりはだ》がたちました。


ふたりといっぴきはトワイエさんの家へ行くことにしました。神話《しんわ》のことをハシバミに話すかどうか、トワイエさんの考《かんが》えをききたいし、もし話すのならトワイエさんから話してもらうほうが正確《せいかく》だろうと思ったのです。

ホタルギツネは、いっしょに歩いているのを見られたくないからといって、先《さき》にでかけました。スキッパーはハシバミといっしょに行きました。森の道を歩きながら、なぜホタルギツネとトワイエさんがしりあいなのかを、スキッパーは話しました。歌のことは話しませんでした。

トワイエさんは部屋《へや》の前に立って、ふたりを待《ま》っていました。ホタルギツネは部屋《へや》のなかで寝《ね》そべっていて、お茶の用意《ようい》ができていました。カップはふたり分《ぶん》しかないので、トワイエさんの分《ぶん》は深《ふか》い皿《さら》のようなボウルをカップがわりに使《つか》っています。それは、ホタルギツネの水を入れているのと、同《おな》じものでした。

ホタルギツネは、ふたりよりもずいぶんはやく着《つ》き、すっかりわけを話したようでした。

トワイエさんは、ハシバミとスキッパーをベッドにすわらせると、ハシバミにたずねました。

「その、前の世界にもどりたい、というのは、んん、もう、まちがいないところなんですか？」

「そうするべきだと思う。そうしたいの」

「もうすこし、その、なんというか、ん、考《かんが》えてみれば、ここで暮《く》らすほうが楽《たの》しい、しあわせだ、ということには、その、なりませんか」

ハシバミはトワイエさんをまっすぐに見てこたえました。

「リュウから逃《に》げたことでしあわせになるというのがつらい」

トワイエさんはため息《いき》をつきました。

「あれほどおそれていたリュウのところに、んん、もどりたい、と？」

「戦《たたか》うということを、知らなかったの」

トワイエさんはもういちどため息《いき》をつきました。横《よこ》できいていてスキッパーは、ハシバミって、なんて強い心をもっているんだろう、そして自分《じぶん》の考《かんが》えをなんてはっきりということができるんだろうと、思いました。

「よく、わかりました」

トワイエさんはハシバミにうなずいて、スキッパーとホタルギツネを見ました。

「話したほうが、ええ、いいのではないかと、ぼくも思います」

トワイエさんの鼻《はな》とほおは赤くなっていました。

「じゃあ、話してやってくれよ」

「おねがいします」

もういちどうなずくと、トワイエさんは話しはじめました。

「ハシバミ、神話《しんわ》、というものがあります……」

伝説《でんせつ》、神話《しんわ》のことばの意味《いみ》からはじまって、あとはウニマルで話したとおりの話をトワイエさんはしました。ちがったのは、ハシバミの出てくるところを、メモではなくぶ厚《あつ》い本を直接《ちょくせつ》読んだということです。

ハシバミはたましいをうばわれたようにききました。おもわずうなずいたり、くちびるをかんだりしています。ハシバミの出てくるところからは、おどろきのあまり、目をみはり、息《いき》をつくのが苦《くる》しそうにさえみえました。きれぎれの息《いき》が、口からもれる音がきこえました。

トワイエさんの話が終《お》わっても、ハシバミはしばらくじっとしていましたが、やがて小さな声で、いいました。

「それは……、ほんとに……、わたしのことだと……？」

トワイエさんは、あいまいにうなずきました。

「もちろん、その、神話《しんわ》というものは、ほんとうにあったことを、そのとおりに書いてある、というものではないと、ええ、思いますよ。けれど、ひとつの神話《しんわ》には、どこかにほんとうのことがふくまれていると、ぼくは、その、思っています。で、この話の場合《ばあい》、きみが、話のなかのハシバミと、関係《かんけい》があると考《かんが》えるほうが、自然《しぜん》だと、ぼくには、ええ、思えますね」

スキッパーもそう思いました。〈はじまりの樹《き》〉にリュウがあらわれる、最初《さいしょ》のいけにえはハシバミという娘《むすめ》、戦《たたか》うということを知《し》らない……、まったく同《おな》じなのです。

「それじゃ、わたし……、逃《に》げだすことはなかったの？」

「いや、それは、その、ちがうんじゃないですか」

トワイエさんは、中指《なかゆび》でめがねのまんなかをおしあげていいました。

「もしも、そのあと、〈樹《き》〉の上から、ですね、光大神《ヒカリノオオカミ》がはいっている大きな〈樹《き》〉の実《み》が落《お》ちてくる、なんてことに、ええ、なっているとすればですよ、〈樹《き》〉はハシバミをここにつれてきたりはしないと、うん、思《おも》いますね」

ハシバミは首をひねりました。

「じゃあ、わたしがその世界にもどっても、光大神《ヒカリノオオカミ》は落《お》ちてこないの？」

「さあ、それは、どうでしょう」

首をひねるトワイエさんに、スキッパーがいいました。

「ねえ、神話《しんわ》のなかでは光大神《ヒカリノオオカミ》が、戦《たたか》えっていうけど、ほんとうはポットさんがいったんですよね。それから、神話《しんわ》のほうでは光大神《ヒカリノオオカミ》があらわれるけど、ほんとうはホタルギツネがあらわれたんですよね」

「光大神《ヒカリノオオカミ》じゃなく、光《ヒカリ》ノ尾《オ》ノ神《カミ》じゃだめかね」

ホタルギツネが冗談《じょうだん》めかしていいました。トワイエさんはその冗談《じょうだん》をまにうけて、

「いや、大神《オオカミ》と尾《オ》ノ神《カミ》では字が……」そこまでいって急《きゅう》にだまると、めがねの奥《おく》の目を左右《さゆう》に走らせました。「まてよ。この神話《しんわ》は、もともとは口伝《くちづた》えで、そのあと全部《ぜんぶ》カナ文字で、そう、全《ぜん》部《ぶ》、カナ文字で書かれていたんだ。あとの時代《じだい》のひとが、漢字《かんじ》を、ええ、あてはめたりしたんで

す。だから、もとはヒカリノオオカミではなくて、ヒカリノオノカミだったかもしれない、うん、しれないです」

「おいおい、そりゃ、どういう意味《いみ》だ？」

ホタルギツネは目をまるくしました。

「いや、そうかもしれない」トワイエさんは立ちあがってしまいました。「ハシバミは、ここにやってきて、戦《たたか》うということを学《まな》び、それから、そう、光《ヒカリ》ノ尾《オ》ノ神《カミ》とともにリュウと戦《たたか》うのでは」

「おい、冗談《じょうだん》じゃないぜ。おれは……」

「そうやって、神話《しんわ》の物語が、完成《かんせい》するのでは……」

「まってちょうだい！」

とつぜんハシバミが立ちあがりました。そのいきおいで、こんどはトワイエさんがすわってしまいました。

ハシバミはほおを赤くして、片手《かたて》で胸《むね》をおさえながら、自分《じぶん》にいいきかせるような調子《ちょうし》でいいました。

「このことは、よく考《かんが》えたほうが、いいと思うの」

ハシバミのことばに、ふたりといっぴきは、そのとおりだとうなずきました。

11

いやならいやでいい話

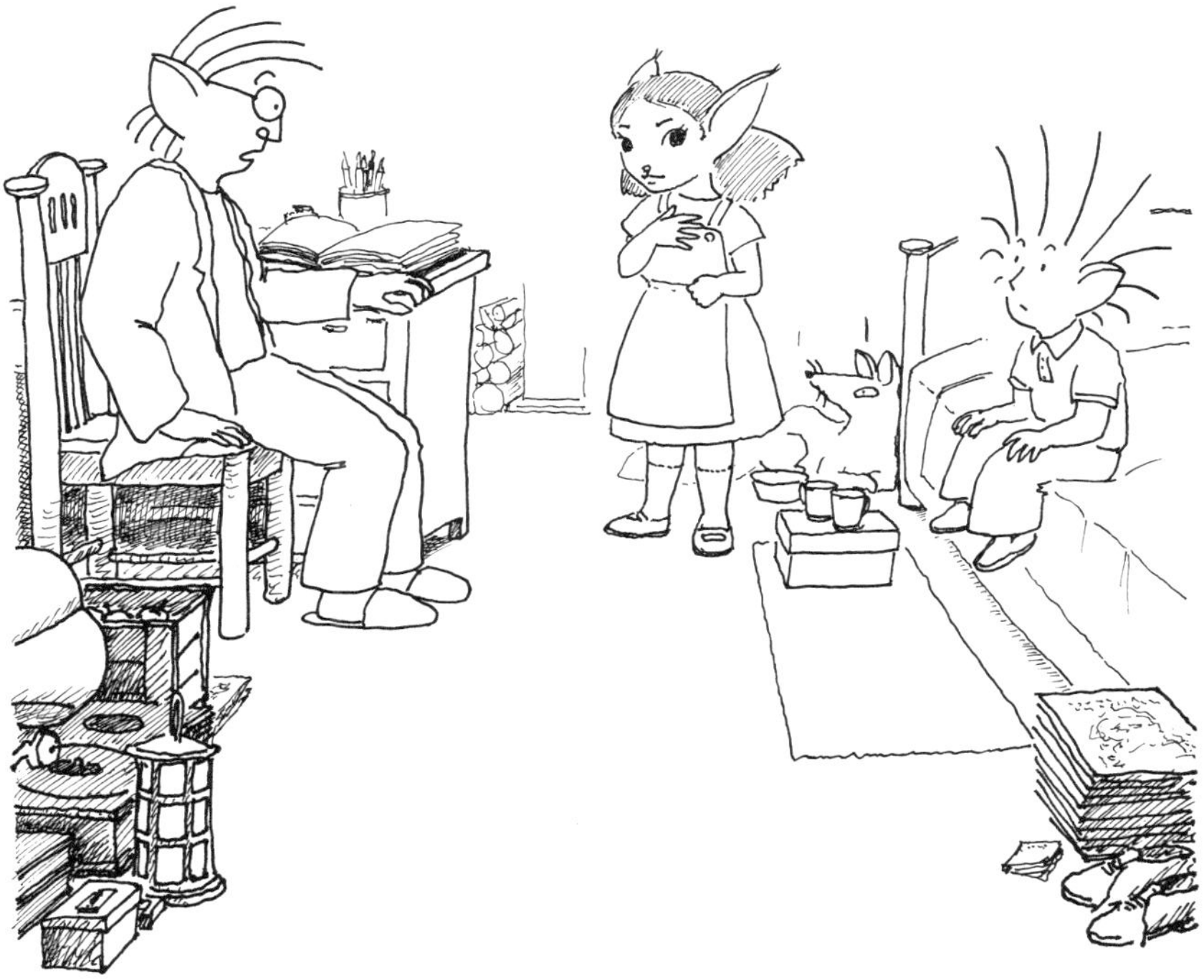

そのことがあってからもハシバミはそれまでのように、いろんなひとにいろんなことを教《おし》えてもらう生活を続《つづ》けました。

これはスキッパーにも、ホタルギツネにも意外《いがい》でした。もうつぎの日から大きな木を呼《よ》びだせとでもいいだすかと、思っていたからです。

けれどハシバミは忘《わす》れていたわけではありませんでした。ある日とつぜん、文字の勉強が終《お》わったあと、ホタルギツネにいいました。

「ねえ、ホタル。わたしといっしょに、リュウと戦《たたか》ってくれないかしら」

ホタルギツネはぽかんと口をあけました。

「いや、あの、おれは……」

「いやならいやって、ことわってくれればいいの。でも、かくれていて、リュウの目の前に飛《と》びだして、おどろかせてくれるだけでいいのよ。ほんとにそれだけでいいの」

「あの、な、ハシバミ……」

「いまは返事《へんじ》しないでちょうだい。考《かんが》えてほしいの」

「いや、考《かんが》えても……」

「ね、いまは返事《へんじ》はしないで。いやならいやっていってくれればいいから」

ホタルギツネが、ゴクリとつばをのみこみました。

その夜、ホタルギツネはしょげこんでいました。

「どうするの？」

スキッパーがたずねました。ホタルギツネはサバの水煮《みずに》のあとに、デザートのいちじくのシロップづけを食べながら首をふりました。

「おれはな、この読書と缶《かん》づめの日々《ひび》が、けっこう気にいってたんだって、きょうはつくづくわかったよ」

「それ、どういう意味《いみ》？　リュウと戦《たたか》うの？」

「あのな、あれだけリュウをおそれていたハシバミが、戦《たたか》うっていってるんだぜ。おれがいやっていえるかい？」

「いやならいやっていってくれって、いってたよ」

「ああ、あの場《ば》のいきおいなら、いやっていえたさ。いまは返事《へんじ》をするなっていったろ。よく考《かんが》えろってことさ。よく考《かんが》えれば、ちょいといやとはいえんよ」

「じゃあ、ハシバミは、ホタルのことを光大神《ヒカリノオオカミ》に決《き》めたんだね」

「ああ、そうらしいな。〝光《ヒカリ》ノ尾《オ》ノ神《カミ》〟なんて冗談《じょうだん》をいわなきゃよかったな。あれがまちがいのもとだった」

ホタルギツネは、つぎの日の朝、戦《たたか》うことを承知《しょうち》したといいました。ハシバミはとてもよろこびました。そして、こんなことをいいだしました。

「わたしはこのこそあどの森で、みんなにとってもお世話《せわ》になっているわ。だから、だまってもどってしまいたくないの。みんなに、こういうわけで、こうして昔《むかし》にもどるんだっていっておきたいの。で、そうするために、ホタルのこと、みんなに話しちゃいけない？」

「なんだって？」

ホタルギツネはびっくりしました。もちろんスキッパーもです。

「ああ、いまは返事《へんじ》はしないで。いやならいやっていってくれてもいいから」

「またこれだよ」

ホタルギツネは首をすくめてスキッパーを見ました。ハシバミは続《つづ》けました。

「わたしがもどることを、みんなにわかってもらわなけりゃいけないって、トワイエさんがいうの」

ホタルギツネとスキッパーは顔をみあわせました。どうやらハシバミはトワイエさんとなにかを相談《そうだん》したらしいのです。

「それにはまず、わたしが昔《むかし》からきたってことを信《しん》じてもらわなくちゃいけないの。そのためにもホタルのこと、話さなくちゃいけないのよ。それからわたしがリュウと戦《たたか》うことを納得《なっとく》してもらわなければならないわ。このことの説明《せつめい》にも、ホタルが手伝《てつだ》ってくれることを話さなくちゃならないの」

ホタルギツネはスキッパーの顔を見ました。

「おれは、ハシバミの計略《けいりゃく》に、ずるずると落《お》ちこんでいくような気がするよ」

「ホタル……」

ハシバミはキツネをまっすぐに見て首を左右《さゆう》にふりました。ホタルギツネが、しおれたひげでいいました。

「いやならいやでいいんだろ？」

「そう、いやならいやでいいの」

ハシバミは強くそういって帰《かえ》りました。

その日の夜ホタルギツネは、スキッパーにいいました。

「あの、いやならいやでいいってセリフは、トワイエさんの入《い》れ知恵《ぢえ》のような気がするな。……ところでスキッパー、気がついているかい？　ハシバミにはな、ひとを動かす力《ちから》があるんだ。いや、ひとをあやつるっていうんじゃなくて、まわりのものがいっしょに手伝《てつだ》いたくなってしまうなにかがあるんだ。で、その力《ちから》はヒトだけじゃなく、キツネも動かすのさ」

つぎの日の朝、ホタルギツネは、みんなに知られてもいいとハシバミにいいました。するとハシバミは、さっそくその翌日《よくじつ》にお茶の会をひらくことにしました。会場《かいじょう》は、湯《ゆ》わかしの家です。午後《ごご》にはトワイエさんがハシバミといっしょにウニマルにやってきて、あすのお茶の会のだんどりをうちあわせました。

「きょうはいったいどんなお茶の会なの？」

スミレさんにたずねられて、トマトさんは首をかしげました。

「ハシバミがなにかきいてもらいたいことがあるみたいなの。でもハシバミったら、それがなんなのか教《おし》えてくれないのよ」

「ヤッホー」

「ヤッホー」

「アケビ登場《とうじょう》！」

「スグリ登場《とうじょう》！」

「この子たちも呼《よ》ばれているの？」

スミレさんは、とくに声を小さくしないでいいました。

「どうしても全員《ぜんいん》って、ハシバミがいうのよ」

全員《ぜんいん》が集《あつ》まると、前と同《おな》じ席《せき》に、みんなすわりました。

トマトさんがお茶をそれぞれのカップにそそぎ、めいめいが好《す》きなジャムやマーマレードをまぜました。いくつかのお皿《さら》には、クッキーが盛《も》られています。

スミレさんがスプーンでお茶をかきまわしながらいいました。

「ふた月ほど前にここにすわっていたハシバミとは、まるでちがうハシバミになったみたいだわ」

するとふたごが続《つづ》けました。

「アケビもふた月ほど前とちがう」

「スグリもふた月ほど前とちがってる」

「アケビは、なわとびの三重跳《さんじゅうと》びができるようになった」

「スグリはそれは前からできる」

「じゃあ、ふた月前とちがってない」

「でも、ひざのかさぶたがとれた」

「それなら、ちがってる」

「あたしには、あなたたちはすこしも変《か》わっていないようにみえますよ」

スミレさんがスプーンをお皿《さら》にもどしながらいいました。

スキッパーも、ハシバミがずいぶん変《か》わったなと思っていました。

みんなはしばらく、天気《てんき》の話や、今年《ことし》のキノコのできぐあいの話などをしながら、お茶を飲《の》んだり、クッキーを食べたりしました。

やがてハシバミが立ちあがりました。みんなは口のなかのものをのみこんだり、ハシバミにむかってすわりなおしたりしました。

「集《あつ》まってくださって、ありがとうございます。じつは、今日《きょう》まで、お話ししていなかったことがあります。まず、わたしがこの森にやってきたときのことです」

ハシバミは、この森にやってきて最初《さいしょ》に出会ったのは、しっぽが光ってことばをしゃべるキツネだったこと、そのキツネがスキッパーを呼《よ》びにいったことを順序《じゅんじょ》よく話しました。

続《つづ》いてトワイエさんが、そのキツネとは以前《いぜん》出会ったことがあって、ホタルギツネという名前であること、みんなに知られたくないとキツネが望《のぞ》んでいたので、これまでだれにもいわなかったこと、このあともみんなはよそでホタルギツネのことを話さないでほしいこと、などを話しました。

「そのホタルギツネは、いま、スキッパーと仲《なか》がよくて、いろいろとお話をですね、ええ、しているようなので、ホタルギツネと〈樹《き》〉の話は、スキッパーに、してもらいましょう」

みんなの視線《しせん》が集《あつ》まって、スキッパーは顔が熱《あつ》くなりました。

「そんな話、きいてない」

「スキッパーは、ないしょにしてた」

ふたごのささやき声《ごえ》がきこえました。

スキッパーは立ちあがり、ホタルギツネがひとりぼっちだったこと、〈樹《き》〉と心の声で話せるようになったこと、それは時間を超《こ》えた会話《かいわ》らしいこと、ふた月ほど前に、女の子を助《たす》けてほしいといわれたこと、を話しました。

ふうっとため息《いき》をついて、スミレさんが、

「すごい話ね」

というと、

「とてもおもしろいお話だわ。でもじっさいに見ないと……、話だけじゃ、ねえ」と、トマトさんがいいました。

トワイエさんがスキッパーを見ました。スキッパーはうちあわせどおりに、席《せき》を離《はな》れて、ドアをあけました。するとそこに、ホタルギツネがすわっていました。ホタルギツネは立ちあがると、なかにはいってきました。

みんなは、息《いき》をのんだり、小さな声をあげたりしました。

「いまは明《あか》るいので、しっぽが、その、光っているのが、んん、よくわからないと思いますけど……」

「ううん、光ってる！」

「光ってる！」

ふたごが叫《さけ》んで、椅子《いす》から飛《と》びおり、ホタルギツネのそばへよっていきました。

「すてき！」

「かわいい！」

「かわいい、だって？」

ホタルギツネが首のあたりの毛《け》を逆《さか》だてながらいうと、みんながざわめきました。

「しゃべった！」

「ほんとに、しゃべった！」

ホタルギツネは、トワイエさんをみあげていいました。

「これでいいんだな」

「また、しゃべった！」

ふたごはもうがまんできずに、ホタルギツネをなでようとしました。キツネは身《み》をかわして、ドアのところまで行って、ふりかえり、

「読みかけの本があるので、おれは失礼《しつれい》するよ」

といって、さっと姿《すがた》を消《け》しました。みんなの前にあらわれて、ひとことふたことしゃべってくれればいい、ということになっていたのです。

「すてき！」

「『おれは失礼《しつれい》するよ』だって！」

「『読みかけの本があるので』だって！」

「本が読めるんだ！」

ふたごはあわてて、ドアのところまで駆《か》けていきました。

「もういない！」

「失礼《しつれい》してしまった！」

興奮《こうふん》のおさまらないふたごに、トワイエさんはおちついた声でいいました。

「アケビとスグリは、そのドアを閉《し》めてから、席《せき》に、ついてください」

トマトさんは、まだ目をまるくしています。

「ああ、びっくりした。ああ、びっくりした。ねえ、ねえ、ポットさん、しゃべったわよね、しゃべったわよね、あのキツネ」

「あのキツネにみおぼえがあるのかい？」

「ないわよ。ポットさんはあるの？」

「ないよ」

ポットさんは首をぶるぶるっとふりました。

「しかし、なんだな。ああいうのに出てこられると、もうどんなことでも信《しん》じられるような気分《きぶん》になるな」

「そうでしょ」トワイエさんは、自分《じぶん》の荷物《にもつ》のところから、ぶ厚《あつ》い本をとってきました。「では、この話にうつりましょう」

スミレさんが、トワイエさんとハシバミとスキッパーをみくらべながらいいました。

「今日《きょう》の会は、あなたたち三人《にん》が計画《けいかく》したらしいわね」

「そうなんです、ええ」

トワイエさんは、あっさりとみとめました。

「いったい、どこへつれていかれるのやら」

というスミレさんに、トワイエさんはまじめな顔で、でも鼻《はな》の頭とほおを赤くして、こたえました。

「かなり、そう、とんでもないところ、です」

トワイエさんは、《はじまりの樹《き》の神話《しんわ》》を話しはじめました。その話のとちゅうで、スミレさんは、スキッパーと同《おな》じように、

「まさか！」

と、小声《こごえ》でいいましたから、この神話《しんわ》を知っていたようです。トワイエさんは、スミレさんにうなずいてみせてから、ぶ厚《あつ》い本をひろげて、金属《きんぞく》と戦《たたか》いがもたらされたところを読みました。

「すごい！」

「ハシバミは、〈神話《しんわ》のひと〉なんだ！」

ふたごがさわぎだそうとするのを、トワイエさんが片手《かたて》でおさえました。そしてハシバミが、村のことは思いだすだけでもつらかったこと、けれどポットさんに戦《たたか》うことを教《おし》えてもらって、村にもどることを強く考《かんが》えるようになったことを話しました。

トマトさんがポットさんを、信《しん》じられない、という目で見ました。

「なんてこと！　ポットさん！　どうしてあなたはそんなよけいなことを……」

トワイエさんが首をふりました。

「よけいなことでは、その、ないと、ぼくは思いますよ、ええ。ハシバミにとっては、とても、そう、とてもたいせつなことだったのです。ええ」

そして、みんなにいいました。

「さて、話というのは、ここから、なのです」

12

あともどりできないところ

みんなはすこしおどろきました。ここまでではほとんど話が終《お》わっているように思っていたからです。

トワイエさんは、めがねをおしあげると、小さくせきばらいをしました。

「さて、ハシバミはどうやら、神話《しんわ》に出てくる人物《じんぶつ》らしい、と、そして、もとの世界に、その、昔《むかし》の時代《じだい》に、ですね、もどりたいと思っている、と。そこで、ぼくたちは、なんとか、その、ハシバミのお手伝《てつだ》いを、ええ、してあげるわけには、んん、いかないか、と、思うのです」

「お手伝《てつだ》いといっても」ポットさんがまゆをよせました。「ハシバミは、リュウが出てくるところにもどるんだろ」

「まあ！　だめ！　ぜったいにだめ！　そんな危険《きけん》なところに、ハシバミをもどらせるわけにはいかないわ」

トマトさんが叫《さけ》ぶようにいいました。

「ハシバミが、ですね、もどるということは、〈樹《き》〉がやってくる、ということで、〈樹《き》〉がくるということは、んん、リュウもくる、ということなんです。そこにすんでるんですから」

「んまあ！　なんてことでしょ！　だったら、いよいよだめ！」

「でも、ほら、光大神《ヒカリノオオカミ》があらわれて、助《たす》けてくれるんでしょ……？」

スミレさんが首をかしげました。

「わたしたちみんなでリュウをやっつける」

「そう、戦《たたか》いを知らない時代《じだい》のリュウだから弱っちいリュウのはず」

ふたごのおもいつきにポットさんは天井《てんじょう》をみあげました。

「おいおい、シカをまるのみだぜ」

「だめ！　ぜったいに、だめ！」

「ちょっと、ちょっと待《ま》ってください」トワイエさんがみんなをだまらせました。「もうすこしきいてください。あとで、ええ、みなさんの、お考《かんが》えは、充分《じゅうぶん》に、いってもらいます。はい」

みんなは、いいたいことがあるようでしたが、話をきく形になりました。

「問題《もんだい》は、光大神《ヒカリノオオカミ》と、剣《けん》だと、ええ、思うのです。伝説《でんせつ》のなかでは、その、光大神《ヒカリノオオカミ》の役目《やくめ》は、ハシバミに、戦《たたか》え、と教《おし》えることと、ハシバミがリュウと戦《たたか》うのを助《たす》ける、ということ、このふたつ、ですね。ところが、戦《たたか》え、というのはポットさんが、ですよ、もう、やってしまった」

「神《かみ》さまの役《やく》を、おせっかいにも横取《よこど》りした、というわけかい？」

「いえ、ちがうと、思うのです。光大神《ヒカリノオオカミ》は、じつは、むこうの世界には、いないのではないか、そう思うのです。もしも光大神《ヒカリノオオカミ》がほんとうにですね、いたとすれば、〈樹《き》〉は、ハシバミを、こちらに送《おく》る必要《ひつよう》は、その、なかったのです。ポットさんは、はたすべき役《やく》をはたした、というわけです。もしもポットさんがいっていなければ、いつか、ほかのだれかがそれをいったか、ハシバミが自分《じぶん》で気づくか、したでしょう」

ポットさんはトマトさんを見てうなずきました。

「で、あと、光大神《ヒカリノオオカミ》の役目《やくめ》とすれば、リュウと戦《たたか》う、神話《しんわ》によると、リュウの目を、んん、くらませて、枝《えだ》から落《お》とす、という役《やく》ですね。これは、ホタルギツネさんに、その、おねがいしたところ、ひきうけてくれました。なにしろ、しっぽが光りますし、場面《ばめん》が、そう、夜ですからね」

「シカをまるのみのリュウに、あのキツネがねえ……」

ポットさんがつぶやきましたが、トワイエさんは続《つづ》けました。

「そこで、あとは、剣《けん》です。ハシバミにたずねたところ、ハシバミの村の暮《く》らしには、んん、金《きん》属《ぞく》はないそうです。ほかの村から、その、めずらしいものが、伝《つた》わってくることがないかとたずねると、ほかに村があるなんて、きいたことがないというのです。だから、リュウの腹《はら》のなかの剣《けん》は、その、いいですか、このわれわれの時代《じだい》から、んん、持《も》ちこまれたものだと、いうのが、ぼくの、いえ、ぼくたちの、考《かんが》えなのです」

そこまでいってトワイエさんは、みんなの顔をみまわしました。いったいどういうことなのだと、みんなはトワイエさんのつぎのことばを待《ま》ちました。

「その、考《かん》えてもみてください。いいですか。〈樹《き》〉の上で、暮《く》らしてきたリュウが、ですね、腹《はら》のなかに、剣《けん》を入れたまま、生きてこれたでしょうか？　そうではないでしょう。この剣《けん》は、リュウが死《し》ぬ直前《ちょくぜん》に、んん、腹《はら》のなかに、そう、はいったんです。ずばり、いいましょう。ぼくたちは、ハシバミの、その、人形をつくる。そのなかに剣《けん》を入れる。かくすんです。リュウは、シカでもまるのみなんですから、当然《とうぜん》、んん、ハシバミの人形も、まるのみにするでしょう。人形は、ええ、すぐに形のくずれるようなもので、そう、つくっておく。すると、リュウは、腹《はら》のなかの剣《けん》で傷《きず》つくはずです。そこで、ハシバミとホタルギツネさんが枝《えだ》の上から、あるいは、あるていどの高さのところから、つき落《お》とす。もしも、それでもだめなら、わたしたちが弓矢《ゆみや》とか槍《やり》とかで、リュウをやっつけると、こういうわけです」

トワイエさんがみんなをみわたすと、ポットさんが首をひねりました。

「そううまくいけばいいけど……、もしも、リュウをやっつけられなくてだよ、この森に逃《に》げだしてしまったりするとまずいぜ」

「ほんとうだわ。たいへんよ。たいへん！」

トマトさんはぶるぶると首をふりました。トワイエさんは、二度《ど》三度《ど》、ポットさんとトマトさんにうなずきました。

「その点については、ですね、ぼくは、神話《しんわ》を、たよりにしたいのです。ええ。ここまで、こちらで、用意《ようい》してやれば、きっと神話《しんわ》どおりに、ことが進《すす》むと、そう信《しん》じたいんです」

みんなはだまりこんでしまいました。トワイエさんひとりが、鼻《はな》とほおを赤くして、残《のこ》ったお茶をごくりと飲《の》みました。

しばらくしてから、スミレさんがたずねました。

「で、ハシバミは、それをしたいの？」

「したい」

うなずくハシバミの腕《うで》を、トマトさんがつかみました。

「よしなさいよ。そんなばかなことはやめてちょうだい、ハシバミ。ここで生きていけばいいじゃないの」

トマトさんは、つぎにポットさんの腕《うで》をつかみました。

「ポットさん、あなたもなんとかいってよ。ハシバミったら、リュウと戦《たたか》うだなんていってるのよ。そもそもポットさんが戦《たたか》うだなんて教《おし》えたのがいけないんだわ。もしもリュウがハシバミをのみこんでごらんなさい。どうするの？」

そしてトワイエさんを見ました。

「トワイエさん。あなたは、神話《しんわ》だかなんだかしらないけど、そのお話を完成《かんせい》させたくてうずうずしてるんでしょう。お話をつくるのがあなたの仕事《しごと》だもの。そのためにハシバミをその気にさせたのにちがいないわ。なんてひどいんでしょう。ハシバミ、かわいそうに」

トマトさんはほとんど泣《な》きだしそうでした。

「トマトさん……」

ポットさんがいいかけるのを、ハシバミがうなずいて止《と》めました。

「トマトさん。わたし、スキッパーに助けられてから、この森のみんなには、お礼をいいきれないほどお世話になりました。なかでもトマトさんとポットさんには、娘《むすめ》みたいに親切《しんせつ》にしてもらって、ほんとうにありがたいなって思っているんです。なんのご恩《おん》がえしもできないままもどってしまうのは、つらいんだけど、これはわたしのやらなきゃならないことなんです。リュウと戦《たたか》うのはこわい。でも、ここでしあわせに暮《く》らすのは、それよりももっとつらいことなんです。わたしはもどります。トワイエさんにいわれてそう思うんじゃありません。神話《しんわ》のようなすじがきどおりにいかなくても、なんとかできると思う。わかってください、トマトさん。ばかなことかもしれないけれど、それをしなければ、わたしがわたしでなくなるように思うんです」

ポットさんが、ため息《いき》をひとつついてから、低《ひく》い声でいいました。

「ハシバミの思うようにさせてやったらどうだろうか、ね、トマトさん。もしもどうしても歯のたたない相手《あいて》だったら、逃《に》げだせばいいじゃないか。リュウは〈樹《き》〉といっしょに昔《むかし》にもどってもらってさ」

トマトさんは目をとじて、うなだれました。

とつぜん、ギーコさんがいいました。

「その剣《けん》は、ぼくがつくろう」

トワイエさんとハシバミの顔が、ぱっと明《あか》るくなりました。

「ああ、ありがたい。たのもうと思っていたところなんです。スキッパー、ウニマルに、モデルがあるって、いってましたね、たしか」

バーバさんのコレクションのなかに、とても古《ふる》い

剣《けん》があるのです。なんでも、剣《けん》が使《つか》われはじめたころのめずらしいもの、という話でした。

「ええ、錆《さ》びているらしいですけど」

ギーコさんは、だいじょうぶ、というふうにうなずきました。

「人形はどうするつもり？」

スミレさんがトワイエさんにたずねました。

「わたしたちがつくる」

「ハシバミそっくりにつくる」

はりきるふたごに、スミレさんは静《しず》かにいいました。

「リュウがハシバミを知っているわけじゃないなら、そっくりでなくてもいいかもしれないわね」

「問題は、その、リュウのお腹《なか》のなかで、んん、はやく剣《けん》が出てくるようなものだってことなんです、ええ」

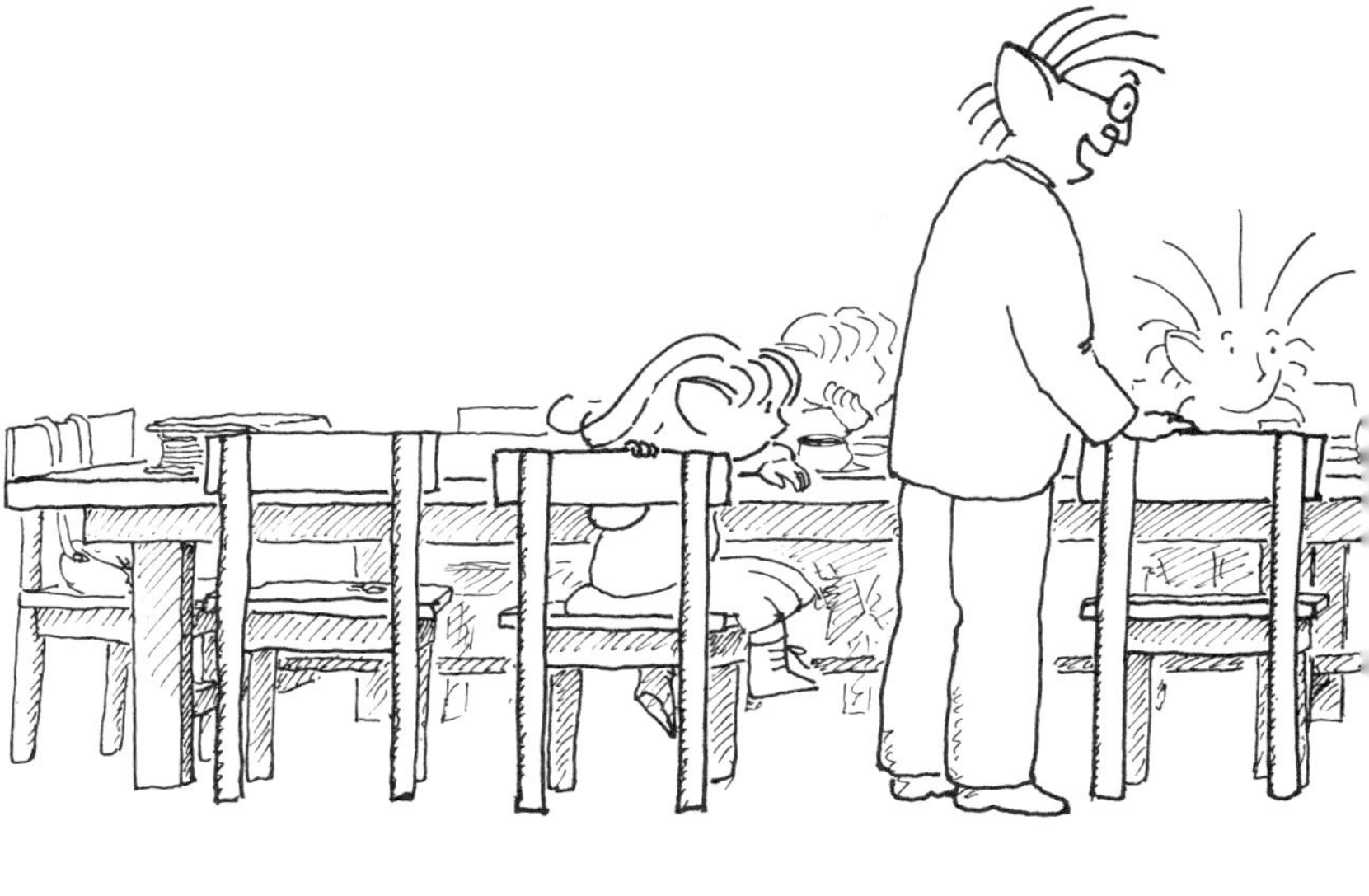

トワイエさんがいうと、さっそくアケビとスグリが、いままでだまっていたうっぷんをはらすように、おもいつきをならべたてました。

「すぐになくなるなら、風船《ふうせん》がいちばん」

「風船《ふうせん》はのみこむときに割《わ》れてばれる。綿菓子《わたがし》でつくるのがいい」

「綿菓子《わたがし》は風《かぜ》で飛《と》んでばれる。マシュマロがいいと思う」

「マシュマロは顔の形がつくりにくい。雪でつくる」

「雪は冷《つめ》たくてばれる。だいいち色がちがう」

そのときトマトさんが顔をあげました。

「パンでつくるのよ！」

なるほど、とみんなが思いました。ふたごもです。

ハシバミがトマトさんの右手に、自分《じぶん》の手を重《かさ》ねて、ゆっくりといいました。

「ありがとう。トマトさん」

その手の上に、トマトさんはあきらめたように左手を重《かさ》ねました。

「わかったわ。パンはつくってあげるけど、この計画《けいかく》に賛成《さんせい》しているわけじゃないのよ、わたしは」

「パンでつくる」

「パンでつくる」

「わたしも手伝《てつだ》う」

「わたしも手伝《てつだ》う」

「いいでしょ」

「ね、トマトさん」

アケビとスグリは、トマトさんがうなずくまでいいました。

「しかし、うまくいくんだろうか」ポットさんが腕《うで》を組《く》みました。「だいたい、あのホタルギツネさんが、〈樹《き》〉に『もういちどきてくれ』っていえば、時間を超《こ》えて、ほんとうにその〈樹《き》〉がやってきてくれるんだろうかねえ」

「神話《しんわ》が成立《せいりつ》するためには、その、きてくれるはずだと、えぇ、思うんですが……ね」

トワイエさんがこたえました。

「でも、だよ。危険《きけん》じゃないかい？　もしも〈樹《き》〉がやってきたとき、ぼくが立っているところにやってきたら、ぼくはその〈樹《き》〉のなかにとじこめられるか、おしつぶされるかするんじゃないか？」

トマトさんがぎょっとするのを見て、トワイエさんがあわてていいました。

「そのあたりのことは、その、ホタルギツネさんに、〈樹《き》〉と連絡《れんらく》をとってもらって、ですね、ええ、よく、きいておいてもらうと、そういうことで、ね」

スミレさんがテーブルごしにトマトさんを見ていいました。

「こんなお茶の会になるなんて、思わなかったわね」

ハシバミが頭をさげました。

「ごめんなさい」

スミレさんはほほえみました。

「あなたがあやまることはないと思うわよ。いちばん悩《なや》んだのは、あなたでしょうから」

お茶の会は終《お》わりました。

もうすっかりうす暗《ぐら》くなっていました。スキッパーがウニマルにもどると、ホタルギツネが広《ひろ》間《ま》に寝《ね》そべっていました。

「ホタル、あのあとね……」

スキッパーが話そうとすると、

「あのあとのことは知ってる。窓《まど》の外でこっそりきいてたんだ」

と、ホタルギツネはいいました。そして、こうつけくわえました。

「あともどりできないところまできちまったって、感《かん》じだな」

スキッパーもそう思いました。


つぎの日、スキッパーは、バーバさんのコレクションの古《ふる》い剣《けん》を持《も》って、ギーコさんのところへ行きました。

ドアをノックすると、ギーコさんがあらわれ、スキッパーをなかに入れました。スキッパーが持《も》ってきたものをさしだすと、ギーコさんはうけとりました。

油紙《あぶらがみ》の包《つつ》みを注意深《ちゅういぶか》くひらくと、ようやく鍔《つば》の形で剣《けん》とわかりますが、ほとんど錆《さび》だらけのものが出てきました。

こんなにぼろぼろになっていては参考《さんこう》にならないんじゃないかと、スキッパーはギーコさんの顔をこっそりのぞきました。ところがギーコさんは、おこっているのかと思うほどまじめな顔で、それを見ています。上からながめ、下からながめ、そっと持《も》ちあげ、ずいぶん時間をかけました。

そのあと剣《けん》よりすこし大きな紙と鉛筆《えんぴつ》を出してきて、剣《けん》をそのままの大きさで写《うつ》しとり、あちこちに書きこみをいれました。

スミレさんが三人分《にんぶん》の野草茶《やそうちゃ》を持《も》ってきて、いいました。

「大切《たいせつ》なものを持《も》ってきてくれたのね。ギーコさん、きずをつけないようにね」

ギーコさんは、わかっているよという目でスミレさんを見ました。

スミレさんの野草茶《やそうちゃ》は、すっきりとしたさわやかな味《あじ》でした。

「その剣《けん》は、なにでできているの？」

野草茶《やそうちゃ》を飲《の》みながら、スミレさんが、スキッパーのききたかったことをたずねてくれました。

「鉄《てつ》だな。刃《は》のところは焼《や》き入《い》れがしてあったようだ。昔《むかし》のものなら柄《つか》まで鉄《てつ》かと思ったら、どうやら柄《つか》は木《き》と、別《べつ》の金属《きんぞく》で留《と》めていたらしい。鞘《さや》はわからないが、柄《つか》がそうなら、鞘《さや》も木《き》と金《きん》属《ぞく》だと考《かんが》えたいな」

ギーコさんのこたえは、あとのほうはひとりごとのようになりました。スミレさんは意外《いがい》そうな声をあげました。

「スキッパー、これって、剣《けん》が使《つか》われはじめたころのものっていってたわね」

スキッパーはうなずきました。バーバさんがそういったのです。

「へんよ、だって歴史《れきし》の本によれば、最初《さいしょ》はまず銅《どう》の剣《けん》が使《つか》われて、それから鉄《てつ》の剣《けん》になるんじゃなかったかしら」

スミレさんはめがねをかけて、剣《けん》をじろじろ見ました。でも、たしかにバーバさんは、そういったのです。どうこたえればいいんだろうとスキッパーがあせっていると、ギーコさんが、ぽつりといいました。

「歴史《れきし》のことは、わからない」

自分《じぶん》が質問《しつもん》されたと思ってこたえたのか、スキッパーを助《たす》けてくれたのか、スキッパーにはわかりませんでした。

ギーコさんがすぐにも剣《けん》をつくりはじめるのなら、そのようすを見せてもらおうとスキッパーは思っていました。けれど、剣《けん》は、ガラスびんの家のなかの作業場《さぎょうば》でつくるのではなく、家のうらにある作業用《さぎょうよう》の小屋《こや》でつくるのだと、ギーコさんはいいました。

「まさか鉄鉱石《てっこうせき》から鉄《てつ》をとりだすところから始《はじ》める、なんていいださないわよね」

スミレさんがたずねてくれたので、どういうふうにつくるのか、スキッパーはきくことができました。

材料《ざいりょう》として、鉄《てつ》でできた馬車《ばしゃ》のスプリングの板《いた》ばねを利用《りよう》するのだそうです。それを、ふいご

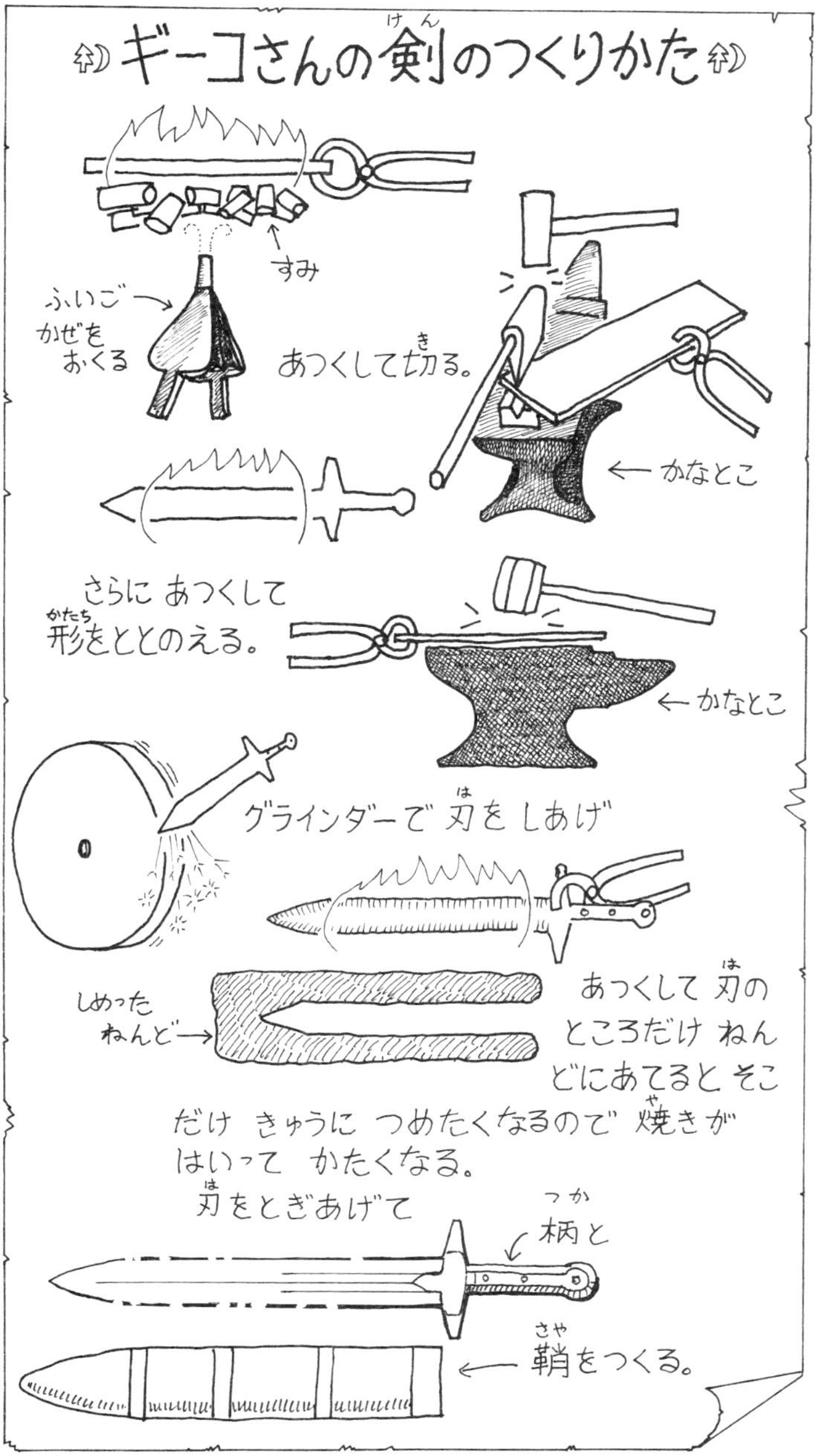

を使《つか》って熱《あつ》くして、鉄床《かなとこ》の上で剣《けん》の形に切り、さらに熱《ねっ》してハンマーでたたいて形をととのえ、水車《すいしゃ》を利用《りよう》したグラインダーで刃《は》をしあげ、粘土《ねんど》を使って刃《は》の部分《ぶぶん》に焼《や》き入《い》れをし、刃《は》を研《と》ぎあげたあと、柄《つか》と鞘《さや》をつくるのだそうです。たいへんな作業《さぎょう》だなと、スキッパーは思いました。

ウニマルにもどったスキッパーは、ホタルギツネに剣《けん》のことを話しました。ホタルギツネはスキッパーに、ほかのひとがなにをしていたかを話しました。こっそりようすを見てきたというのです。

トマトさんはふたごとハシバミを助手《じょしゅ》にして、パンで人形をつくる練習《れんしゅう》をはじめたそうです。形をつくるのもむずかしいのですが、パンの香《かお》りを消《け》すことも課題《かだい》なのだそうです。髪《かみ》の毛《け》は、トウモロコシのひげでつくるようです。

トワイエさんとポットさんといえば、弓矢《ゆみや》をつくって練習《れんしゅう》をはじめたといいます。

「あぶなくってしかたがないよ」

と、ホタルギツネはいいました。

「ホタルは？」

スキッパーはたずねてみました。

「おれは、本を読むのと、ようすをさぐるのをしていたのさ」

「ホタルは、はじめなくてもだいじょうぶなの？」

「なにを？」

「だから、〈樹《き》〉にたのんで、もういちどきてもらうんでしょ？」

「ああ」

「それって、すぐにできるの？」

「ああ、そうだな。まあ、そのうちにやってみるよ」

後足《うしろあし》で耳のうしろをかきながら、ホタルギツネはいいました。

「そうそう、きょうは、パイナップルの缶《かん》づめをデザートにしようぜ、な、スキッパー」

そういっているところに、ふたごがパンを持《も》ってきてくれました。練習《れんしゅう》に焼《や》いたパンは、みんなにくばることにしたのだそうです。どうやらとうぶん、パンが食卓《しょくたく》にのぼることになりそうです。

13

ホタルギツネの決心《けっしん》

それから三日目《みっかめ》の夜《よる》のことです。夕食《ゆうしょく》のあと、スキッパーはナイフで木をけずって船《ふね》をつくり、ホタルギツネは本を読んでいました。

書斎《しょさい》のランプの下に本をひろげていたホタルギツネが、とつぜん椅子《いす》からおりると、広間《ひろま》のスキッパーのところにやってきていいました。

「スキッパー。とつぜんだが、おれはここを出るよ。世話《せわ》になったな」

「え？」

あまりにもだしぬけだったので、スキッパーはびっくりしました。

「なに、いってるの？」

「おれは、こんな生活をしていちゃいけないんだ」

「……？」

ホタルギツネは、ひとつ息《いき》をついたようにみえました。

「じつは、おれは三日前《みっかまえ》からあの〈樹《き》〉に呼《よ》びかけていたんだ。ハシバミがこっちにきてから、ふた月ほど、ずっと呼《よ》びかけてなかったんだけどな。でも、そろそろと思ったんだよ。おれは、ハシバミがもどって、リュウと戦《たたか》うってことについて、〈樹《き》〉の考《かんが》えをききたかったのさ。ところが、連絡《れんらく》がつかない」

「連絡《れんらく》が、……つかない？」

「連絡《れんらく》が、つかない」

「それって、ほら、〈樹《き》〉が、まだつかれてるってことじゃないかな」

「いや、そんな感《かん》じじゃない。おれの呼《よ》び声《ごえ》がとどかないんだ。自分《じぶん》でわかる。からだじゅうで呼《よ》びかけてるって感《かん》じじゃないんだ。ハシバミにも呼《よ》びかけてみた。だめだ。おれは、なまっちまったんだ」

「なまっちまった？」

「スキッパーとともだちになって、本を読んで、缶《かん》づめの味《あじ》になれて、この生活に充分満足《じゅうぶんまんぞく》してしまってるんだ。ほら、前にいったろ。おぼえてないか？　どうしてもそれをやりたいっていう理由《りゆう》がなければ、呼《よ》べないって」

「おぼえてるよ。ぼく、残念《ざんねん》だった」

「それなんだよ、おれは。からだが、どうしても呼《よ》びたいって感《かん》じになってないんだ。だからおれは、ウニマルを出なくちゃいけない。缶《かん》づめじゃなく虫を食《く》って、本じゃなく星を見て、からだじゅうで〈樹《き》〉のことを考《かんが》えなくちゃいけないんだ」

スキッパーは、なにもいえませんでした。

「もちろん、おれは読書と缶《かん》づめの日々《ひび》が好《す》きさ。愛《あい》してたんだよ。でもいまはな、本を読んだり、マスの水煮《みずに》やいちじくのシロップづけを食《く》ったりするのは、前のようには楽《たの》しめないんだよ。それのために〈樹《き》〉と呼《よ》びあえなくなったって思うからな。それに、虫を食《く》って星を見るってのは、それはそれでわるくないんだ」

ホタルギツネは、ゆっくりと広間《ひろま》のなかをみまわしました。

「そういうわけで、おれはここを出る。みんなによろしくいっといてくれよ。おれはな、〈樹《き》〉と呼《よ》びあえるようになるまでは、もうだれにも会わない、と、いま、決めたんだ」

「じゃあ、もしもぼくたちがホタルに用《よう》があればどうするの？」

ホタルギツネはスキッパーを見て、にやりと笑《わら》いました。

「からだじゅうで呼《よ》びかけてみてくれよ」

ホタルギツネはとんとんと階段《かいだん》をのぼりました。スキッパーは追《お》いかけていって、ドアをあけてやりました。夜空はくもっていて月も星も出ていません。甲板《かんぱん》に出て、手すりに飛《と》びのったしっぽの光るキツネに、スキッパーは、

「ホタル」

と、声をかけました。

「なんだい、スキッパー」

ホタルギツネはふりむきました。

「また、会える？」

「そういう約束《やくそく》はできないんだ。でも、〈樹《き》〉と連絡《れんらく》がとれれば、くるかもしれんな」

スキッパーはどういっていいのかわかりませんでした。そこで、こういいました。

「うまくいくといいね」

ホタルギツネはうなずきました。

「ありがとよ」

そして、ひらりと船《ふな》べりから暗《くら》い草地《くさち》に飛《と》びおりると、もう光るしっぽしか見えなくなり、それがゆらゆらとゆれながら、森のなかへはいっていきました。光は木々《きぎ》の重《かさ》なりにちらちらとかくれては見えかくれては見え、やがてまっ暗《くら》になりました。

しばらくのあいだ、その暗《くら》い森を見てから、スキッパーは部屋《へや》にもどりました。書斎《しょさい》の机《つくえ》の上には、ホタルギツネの読みかけの、小さな字のつまった本が、ページをひらいたままになっています。

——なにもかもが終わったら、またホタルがここにきて、続《つづ》きを読むかもしれない。

そう思ったスキッパーは、そのページをひろげたまま、本をそこに置《お》いておきました。

つぎの日の朝、いつものようにハシバミがやってきました。スキッパーは、ホタルギツネが出ていったことを話しました。

「そんなことになっていたなんて……」

ハシバミはくちびるをかみました。そして、はっと頭をあげ、

「ちょっとまってて」

と、ひとりウニマルの甲板《かんぱん》に出ていきました。しばらくしてもどってくると、まじめな顔でいいました。

「わたしも、なまって、しまった……」

「どうしたの？」

「ホタルギツネを呼《よ》んでみたの。でも、ホタルと同《おな》じ。自分《じぶん》でわかる。呼《よ》んでるって感《かん》じにならないの」

「ハシバミは、いいんじゃないの、なまっても。だって、〈樹《き》〉を呼《よ》ぶのはホタルギツネなんでしょ？」

「スキッパー、それはちがうわ。こちらにきたときも、わたしの気持《きも》ちが〈樹《き》〉に力《ちから》をださせたと思うの。だから、〈樹《き》〉にもどってきてほしい、リュウと戦《たたか》うんだというわたしの気持《きも》ちがホタルにとどけば、ホタルの呼《よ》びかける力は強くなるはずだわ」

そんなものかなあとスキッパーは思いました。

「それに、ホタルだけ、そんなめにあわせるわけにはいかない」

「まさか、ハシバミも出ていくなんていわないよね」

「すこし考《かんが》えさせて」

ハシバミはテーブルの上にひじをつき、両手《りょうて》で頭をかかえこみました。しばらくしてから、そのままの姿勢《しせい》で、ひとことずつ、区切《くぎ》るような調子《ちょうし》で、いいました。

「スキッパー。わたしが、このこそあどの森で暮《く》らしながら、昔《むかし》の村で暮《く》らしていたような気持《きも》ちになるには、どうすればいいと、思う？」

「昔《むかし》の気持《きも》ちになれたら、ホタルと心で呼《よ》びあえるの？」

スキッパーは、質問《しつもん》にはこたえずに、たずねかえしました。

「……それが必要《ひつよう》だと思うの。ねえ、どうすればいいと思う？」

「昔《むかし》の気持《きも》ち……？」

「そう」

スキッパーは頭をかかえているハシバミを見て、なにげなくいいました。

「あのときのかっこうをするっていうのはどうかな」

ハシバミは顔をあげると、まっすぐスキッパーを見て、うなずきました。


その日の夕方《ゆうがた》、アケビとスグリが、トマトさんとつくったパンを持《も》って、ウニマルにやってきました。暗《くら》くならないうちに帰《かえ》るからと、ふたりはスキッパーと、ウニマルの甲板《かんぱん》で立《た》ち話《ばなし》をしました。

「ホタルギツネが修業《しゅぎょう》に出たんだって？」

「心の声がとどかなくなったんだって？」

ハシバミにきいたというのです。

「ハシバミも昔《むかし》の気持《きも》ちになろうとしてる」

「スキッパーは、服《ふく》やくつのこと、教《おし》えてあげたんだって？」

「頭いい！」

「そう！　服《ふく》は気持《きも》ちを変《か》えるから」

スキッパーは、ほんのおもいつきでいっただけだったので、ほおが熱《あつ》くなりました。

「トマトさんは、昔《むかし》とおなじものを食べればっていった」

「ポットさんは、昔《むかし》の家に住《す》めばっていった」

「アケビは、昔《むかし》の歌をうたえばっていった」

「スグリは、昔《むかし》の踊《おど》りをおどればっていった」

そのあと、ハシバミはスミレさんとギーコさんのところへも行った」

「スミレさんとギーコさんにも同《おな》じことをきいた」

「アケビとスグリは、ついていったの？」

スキッパーがたずねると、ふたりは首をふりました。

「わたしたちはパンづくりの係《かかり》」

「ハシバミはパンづくりの係《かかり》じゃなくなった」

「考《かんが》えるところがあって」

「そう、考《かんが》えるところがあって」

「ガラスびんの家でのことは、あとからハシバミが教《おし》えてくれた」

「湯《ゆ》わかしの家にもどってから教《おし》えてくれた」

「スミレさんは、昔《むかし》の匂《にお》いを思いだせといった」

「ギーコさんは、なにもおもいつかなかった」

「そこへトワイエさんがきた」

「ギーコさんの剣《けん》がどうなったか見にきた」

「トワイエさんもたずねられた」

「トワイエさんは、ハシバミのしゃべりかたが変《か》わったといった」

「つまり、昔《むかし》のしゃべりかたをすればってこと」

「トワイエさん、頭いい！」

スキッパーは、それぞれのこたえに感心《かんしん》しました。

「それで、ハシバミは、それを全部《ぜんぶ》するの？」

「できることから」

「そう、できることからするっていってた」

「できることをする係《かかり》になった」

「まず服《ふく》」

「それから家」

「家？」

そういえば、ハシバミは家のつくりかたを知っていたなとスキッパーは思いだしました。けれど、ひとりでは無理《むり》でしょう。

「どこにつくるんだろう」

「ポットさんも、それをたずねた」

「ハシバミは、あの〈樹《き》〉がやってきた広場《ひろば》の近《ちか》くにつくるといった」

「ポットさんは手伝《てつだ》うといっていた」

「ハシバミはいいっていいったけど」

「ポットさんはどうしても手伝《てつだ》うっていった」

「家をつくればっていったのは、ポットさんだったし」

「きっと、ギーコさんやトワイエさんもさそうつもり」

「わたしたちも、行くつもり」

「さそわれないけど、行くつもり」

「きっとお役《やく》にたつ」

「きっとおもしろい」

「あすの朝、その広場《ひろば》に、行くつもり」

ふたごが帰《かえ》ったあと、スキッパーはもらったパンと、缶《かん》づめのホウレンソウとソーセージをあたためたのを食べました。

そのあと、ウニマルの甲板《かんぱん》に出て、暗《くら》い森をながめました。どこにもホタルギツネのしっぽの光は見えません。ハシバミもまわりのみんなもこんなことをはじめているると、教《おし》えてあげたいなと思いました。そこでそのことをからだじゅうでいっしょうけんめい心のことばにして、ホタルギツネに送《おく》りました。でも、とどいたようには思えませんでした。

つぎの日の朝、スキッパーも、その広場《ひろば》へ行ってみました。

もうみんな集《あつ》まっています。ポットさんやギーコさんは、斧《おの》や鉈《なた》、のこぎりなども持《も》ってきていました。ハシバミは、この森にやってきたときのかっこうをしています。

みんなの立っているあたりが、ハシバミが家をつくろうとしている場所《ばしょ》のようでした。それは広場《ひろば》をみわたせる、すみの木陰《こかげ》、とてもいった場所《ばしょ》でした。

ポットさんとギーコさんとトワイエさんは、なんだかはりきっているようにみえました。

とつぜんハシバミが、なにか妙《みょう》なしぐさで、ききなれない歌をうたいはじめました。スキッパーはぎょっとしましたが、どうやらそれは、お祈《いの》りのようでした。家を建《た》てることを大地《だいち》にゆるしてもらっているのだそうです。みんながおどろいたのは、そのお祈《いの》りの声にあわせて、ギーコさんが低《ひく》くうたったことです。

「ぼくのおじいさんが、そういう歌をうたっていたんだ」

と、ギーコさんがいったので、みんなはもういちどびっくりしました。

「すると、その、神話《しんわ》の時代《じだい》からずっと、その歌は、ん、うたいつがれてきたと、そういうわけなのですね、いや、いや」

トワイエさんが、さかんに感心《かんしん》しました。

お祈《いの》りは、土地《とち》だけにではなく、柱《はしら》として切《き》る木にもささげられました。スキッパーは、そのお祈《いの》りのなかに、「サユル、タマサウ、ココロ」ということばが出てくるのに気づきました。土地《とち》や柱《はしら》とタマシイがつながるということなんだなと思いました。

スキッパーとトワイエさんとふたごは、まわりの森からたくさんのつるを集《あつ》めてきました。つぎに、ポットさんが川辺《かわべ》で刈《か》りとったカヤを、スキッパーたちが何度《なんど》も往復《おうふく》して運《はこ》びました。カヤが天井《てんじょう》にも壁《かべ》にもなるのだそうです。ハシバミとギーコさんがてきぱきと動いて、みるまにテント型《がた》に柱《はしら》が組《く》まれると、カヤが下のほうから葺《ふ》かれていきました。そうこうするうちにトマトさんが、サンドイッチとお茶を持《も》ってあらわれ、さらにカヤが刈《か》りとられ、葺《ふ》かれ、スミレさんが見物《けんぶつ》にやってきた夕方《ゆうがた》には、ちゃんと家ができあがってしまいました。

みんなが拍手《はくしゅ》をして、ハシバミが涙《なみだ》ぐみました。

そのあと、ハシバミは床《ゆか》の中央《ちゅうおう》にかまどをつくって、お祈《いの》りをしたあと、火をたきました。草をたくさん燃《も》やすと、カヤのすきまから煙《けむり》がたちのぼりました。こうしておくと、虫がよりつかないのだと、ハシバミはいいました。

その夜、スキッパーはウニマルの甲板《かんぱん》で、今日《きょう》あったことを、見えないホタルギツネにむかって、心の声で話しかけました。

14

ハシバミがとりもどしていくもの

つぎの日の朝、昔《むかし》の服《ふく》でウニマルにやってきたハシバミは、はしごの下でこういいました。

「スキッパー、文字、教《おし》えてくれて、ほんとうにありがとう。むこうに帰《かえ》ったら、きっと役《やく》にたつ」

ハシバミは、ひらがなだけなら、すべて読み書きできるようになっていました。

「もう、勉強はしないの？」

「いまは、前の気持《きも》ちと力《ちから》を、とりもどしたい。もどるためのことだけを、したい」

「きのうつくった、あの家へ行くの？」

ハシバミはうなずいて、さっとむこうをむくと、ウニマルのある広場《ひろば》から、森のなかへはいっていきました。それは、最初《さいしょ》の夜にハシバミとホタルギツネとスキッパーが、ウニマルにやってきた道でした。そのうしろ姿《すがた》を見ながら、スキッパーは、ハシバミはもうトマトさんみたいなしゃべりかたをしないんだなあと、あらためて思いました。

ずっとウニマルにいたホタルギツネがでていき、毎日《まいにち》のように勉強にきていたハシバミがこないとなると、ウニマルはずいぶん静《しず》かになりました。でも夕方《ゆうがた》になると、パンを持《も》ってふたごがやってきました。

ふたごは、パンをつくりながら、トマトさんといっぱいおしゃべりをしているらしく、いろんなことをスキッパーに教《おし》えてくれました。

「ハシバミは、広場《ひろば》の家にひっこして、そこで暮《く》らしたかったみたい」

「でもトマトさんは、食事《しょくじ》だけは湯《ゆ》わかしの家でしてくれといった」

「トマトさんは、できるだけハシバミのいう料理《りょうり》をつくるから、といった」

「たとえばドングリのパン」

「ドングリはアクぬきがたいせつ」

「たとえばクリのパン」

「パンといってもクッキーみたいの」

「ポットさんが湖《みずうみ》でとった魚」

「トマトさんが森でとった果物《くだもの》」

「わたしたちも、広場《ひろば》の家に行ってもいいかってきいた」

「ポットさんが、ハシバミのじゃまをしちゃいけないっていった」

「でも、すこしくらいならいいって、ハシバミはいった」

その話をきいて、スキッパーは、つぎの日の午後《ごご》の散歩《さんぽ》で、広場《ひろば》の家を通《とお》ることにしました。

広場《ひろば》に出る前にハシバミの姿《すがた》が見えて、スキッパーは立《た》ち止《ど》まりました。ハシバミは走っていました。広場《ひろば》の草地《くさち》を走っているかと思うと、急《きゅう》に木立《こだち》のなかに飛《と》びこみ、また広場《ひろば》に走りでてきたりするのです。スキッパーは声をかけそびれて、広場《ひろば》を通《とお》らずに大まわりしてしまいました。

そのつぎの日、ハシバミは家の横《よこ》の木陰《こかげ》にすわって、目をとじていました。ぴくりとも動かず、真剣《しんけん》な顔をしています。この日もやはり、スキッパーは声をかけることができませんでした。

三日目《みっかめ》、広場《ひろば》にはだれもいませんでした。家のなかをのぞいても、ハシバミはいません。きょうはいないのかな、と思ったとき、「スキッパー」

頭の上から呼《よ》ばれて、スキッパーはびっくりしました。ふりあおぐと、木の枝《えだ》にハシバミがすわっていました。

「なにしてるの？」

「木のぼり」

ハシバミが木からおりてきて、ふたりは草の上に腰《こし》をおろしました。

「わたし、ほんとに、なまってた」

と、ハシバミがいいました。

「でも、とりもどせる。もどってくるのが、わかる」

「なにがとりもどせるの？　なにがもどってくるの？」

「気配《けはい》」

「けはい？」

「湯《ゆ》わかしの家で暮《く》らしていると、いろんな気配《けはい》が、わからなくなった。それが、また、わかるようになる」

「いろんなけはいって？」

ハシバミはスキッパーをじっと見《み》ると、ふっと目をとじました。

「スキッパー、目をとじて、それでも、わたしがここにいることを、感《かん》じるか？」

ハシバミのことばに、スキッパーも目をとじました。ハシバミがそこにいる、という感《かん》じはありました。もしかすると、うっすらとハシバミの匂《にお》いがあったせいかもしれません。

「感《かん》じると、思う」

「うしろの木を、感《かん》じるか？」

葉《は》のすれあう音で、頭の上にしげみがあることはわかりますが、その幹《みき》がうしろにあることは感《かん》じられません。

「うしろの、というのは感《かん》じないけど…」

「空気が動いているのを、感《かん》じるか？」

そんなことは感《かん》じていませんでしたが、いわれてみると、静《しず》かに空気がからだのまわりを流《なが》れていくのが感《かん》じられました。ハシバミは続《つづ》けていいました。

「土の下で、水が流《なが》れるのを、感《かん》じるか？」

思ってもみませんでした。ハシバミはもうスキッパーのこたえを待《ま》たずに続《つづ》けました。

「木が空気をきれいにすることを、感《かん》じる。土が水をきれいにすることを、感《かん》じる。ウサギがわたしを見ておびえていないことを、感《かん》じる。そこに住《す》むことを土地《とち》が許《ゆる》してくれたことを、感《かん》じる。だれがつくってくれたのかわかっている家に住《す》んでいることを、感《かん》じる。そういうのが、気《け》配《はい》」

スキッパーは目をあけて、ハシバミを見ました。それがわかったように、ハシバミもゆっくりと目をあけました。

「それを、とりもどしているの？」

スキッパーがそういうと、ハシバミはうなずきました。

「走ったり、木に登《のぼ》ったりすると、とりもどせるの？」

ハシバミは笑《わら》いました。

「あれは、戦《たたか》いのため」

そうでした。ハシバミは〈樹《き》〉の上で、リュウと戦《たたか》うのでした。

そんな会話《かいわ》をかわしたつぎの日に、剣《けん》の刀身《とうしん》ができあがりました。ギーコさんが、ポットさんたちに見せようと刀身《とうしん》を湯《ゆ》わかしの家に持《も》ってきたと、ふたごがスキッパーを呼《よ》びにきてくれました。

刀身《とうしん》というのは、剣《けん》の、刃《は》のついた金属《きんぞく》の部分《ぶぶん》です。すばらしいできばえにみえました。剣《けん》のにぎる部分《ぶぶん》、柄《つか》は、このあとくるみの木と別《べつ》の金属《きんぞく》でつくるのだそうです。柄《つか》のなかにかくれてしまうところに、木と月の、ギーコさんの印《しるし》がちゃんとはいっていました。

パンづくりのほうもずいぶん進歩《しんぽ》しているようでした。色と形がそれらしくなってきたという話です。パンの香《かお》りを消《け》すのは、つくったものをしばらく置《お》いておくことで解決《かいけつ》するのだそうです。とうもろこしの髪《かみ》の毛《け》をつけたパンは、夜の暗《くら》さのなかでは、充分《じゅうぶん》にひとの顔に見えるはず、とふたごはいいました。

トワイエさんとポットさんの弓矢《ゆみや》の練習《れんしゅう》にも熱《ねつ》がはいってきました。わざわざ、夜の暗《くら》いところで練習《れんしゅう》をしているのだそうです。

ハシバミは、ギーコさんにもらった毛皮《けがわ》をベッドにして、広場《ひろば》の家でひとりで夜を過《す》ごしはじめました。

「トマトさんは、やめてくれといった」

と、アケビがスキッパーにいいました。

「でも、ポットさんが、『キャンプだと思えばどうだろう』といった」

と、スグリが続《つづ》けました。

「『ぼくたちも昔《むかし》、テントをかついでキャンプにいったじゃないか』

「『ほら、星空をみあげたのをおぼえているかい』」

「『まあ、ポットさん、忘《わす》れるものですか』」

「『キスして、ポットさん』」

「『チュッ』」

ふたりはポットさんとトマトさんの真似《まね》までしてくれました。

真似《まね》といえば、ふたごはハシバミの真似《まね》をして、シーツを切って同《おな》じような服《ふく》をつくりました。

いらないといったのに、スキッパーの分《ぶん》までつくってくれました。

ある日、ふたごがいいました。

「ギーコさんの剣《けん》が、しあがった」

「あすの午後《ごご》、ギーコさんがハシバミのところへ、剣《けん》を見せにいく」

「わたしたちも行く」

「スキッパーもどう？」

もちろん、スキッパーも行くことにしました。

つぎの日の午後《ごご》、スキッパーとふたごが広場《ひろば》で待《ま》っていると、ギーコさんだけでなく、トワイエさんとポットさんもやってきました。ギーコさんがかかえている細長《ほそなが》いものが剣《けん》にちがいありません。布《ぬの》で包《つつ》まれています。

ハシバミが家のなかから出てきて、全員《ぜんいん》が家の前に集《あつ》まりました。

「剣《けん》が、できたそうだ」

ポットさんがいいました。ハシバミは、くちびるをかみしめました。ハシバミの時代《じだい》に持《も》って帰《かえ》る歴史的《れきしてき》な剣《けん》なのです。

ギーコさんが、布《ぬの》をひろげると、剣《けん》が出てきました。鞘《さや》におさまっています。柄《つか》も鞘《さや》も同《おな》じ木でできています。

「鞘《さや》は、いらなかったかもしれないけど」

と、ギーコさんがつぶやくようにいいました。

剣《けん》は、パンのなかに抜《ぬ》き身《み》ではいるのですから、鞘《さや》はいらないのです。

ギーコさんは、静《しず》かに剣《けん》を鞘《さや》からぬきました。

ポットさんが包《つつ》んでいた布《ぬの》を地面《じめん》にしくと、ギーコさんは剣《けん》と鞘《さや》をならべて置《お》きました。

「やったな、ギーコさん」

「みごとに、できあがりましたね、ええ」

「すごい！」

「でも、こわい」

「でも、きれい」

みんなの口から声がもれました。

スキッパーは、見本《みほん》にした昔《むかし》の剣《けん》とずいぶんちがうなと思いました。錆《さ》びた剣《けん》には物語がいっぱい感《かん》じられたけれど、この剣《けん》は冷《つめ》たいだけのように思えたのです。

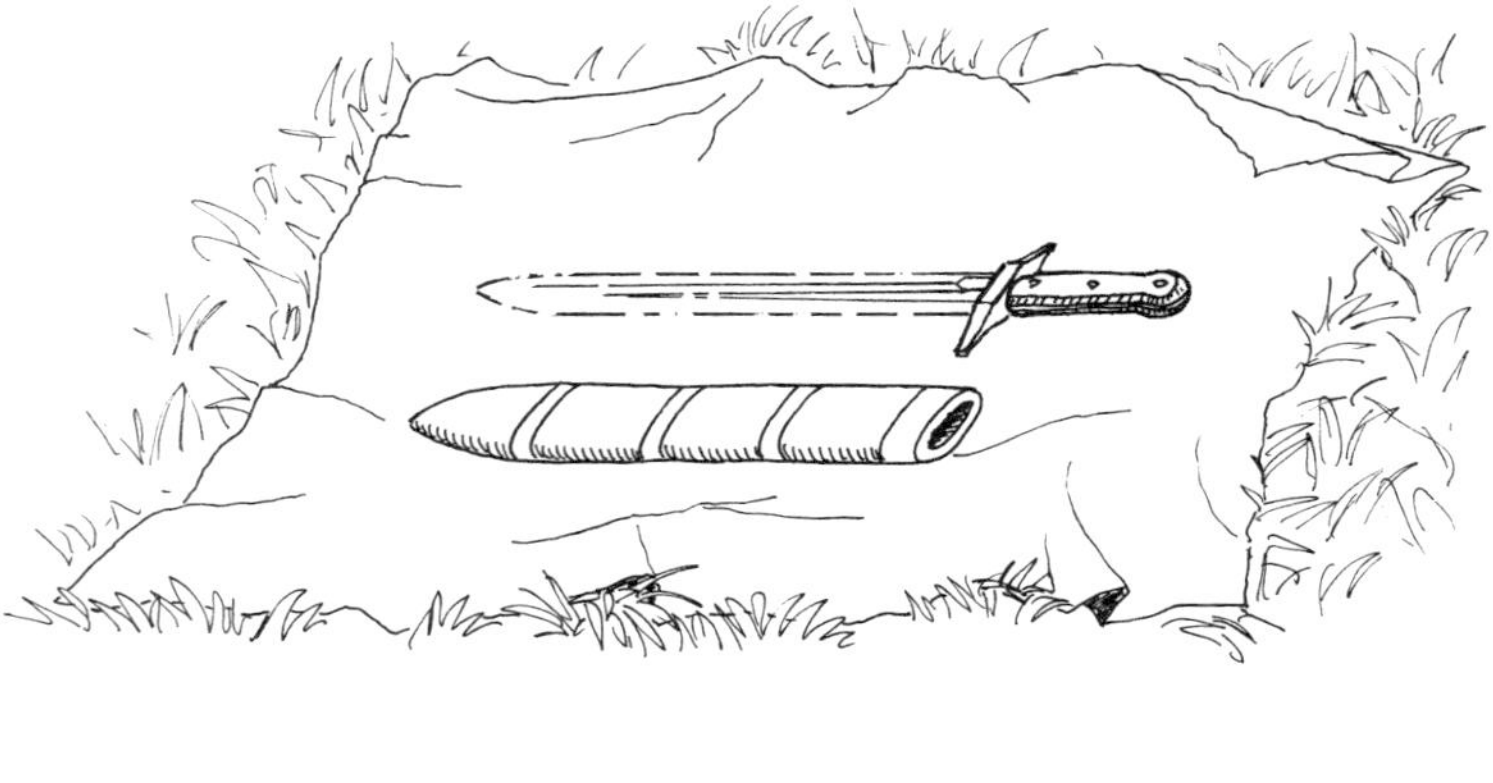

スキッパーのそういう目に気づいたのでしょうか、ギーコさんがいいました。

「あの見本《みほん》にした剣《けん》は、まっさらのとき、ちょうどこんなふうだったと思う……」

スキッパーは、あわててうなずきました。

「ハシバミ、持《も》ってみるかい」

ポットさんにうながされて、ハシバミはそっと手をのばしました。

「刃《は》のところにさわると、手が切れるよ」

ハシバミは、そんなことは充分《じゅうぶん》知っていましたが、ポットさんを見て、小声《こごえ》で「はい」といいました。柄《つか》をにぎって、目の高さに持《も》ちあげました。ハシバミの目がいつもよりきびしくなったようにスキッパーには思えました。リュウと戦《たたか》うことを考《かんが》えたのか、戦《たたか》いを知らない世界に武器《ぶき》を持《も》ちかえることの意味《いみ》を考《かんが》えたのか、スキッパーにはわかりませんでした。ハシバミは、だまって剣《けん》を鞘《さや》におさめると、ギーコさんに頭をさげました。

「ありがとうございました」

剣《けん》は、湯《ゆ》わかしの家に置《お》いておくことにしました。パンに入れるからです。

「さて、それじゃあギーコさんも、これからはわれわれといっしょに弓《ゆみ》の練習《れんしゅう》をしてもらおうか」

ポットさんがそういうと、ハシバミが、

「あの……」

といいました。

「なんだい？　ぼくたちにできることが、ほかにあるんだったら、いってくれよ」

ポットさんは、なんでもするというきおいでハシバミを見ました。

「〈樹《き》〉にささげる祭《まつり》があって、そのための歌と踊《おど》りがあります」

トワイエさんとギーコさんは、そこまできいて、

「え？」

「歌と、踊《おど》り……？」

と、顔をみあわせ、どうするんだという目でポットさんを見ました。ふたごはよろこびました。自分《じぶん》たちのアイデアが、ようやく実行《じっこう》にうつされようとしているらしいのです。

「歌と踊《おど》り」

「歌と踊《おど》り」

ふたごは歌うようにいいながら、かってな踊《おど》りをはじめました。ポットさんは横目《よこめ》でめいわくそうにふたごを見ましたが、ハシバミは気にしないでいいました。

「それに使《つか》う楽器《がっき》が、ほしいのです」

三人《にん》は急《きゅう》にほっとした顔になりました。

「なんだ、楽器《がっき》か。どんな?」

「楽器《がっき》は、三《みっ》つ」

「三《みっ》つ……?」

三人《にん》はまた顔をみあわせました。こんどは、だれが演奏《えんそう》するのかと思ったのです。

ハシバミは、三《みっ》つの楽器《がっき》の名前と形と音を、身《み》ぶりと声による音真似《おとまね》で説明《せつめい》しました。

「まずドンタ。このくらいの大きさ。ここ、木。ここ、皮《かわ》。ひもで皮《かわ》をひっぱる。ぐっと。これくらいの棒《ぼう》でたたく。ドォム、ド、ドォッ、ドォム、ド、ドォッ」

ドンタという楽器《がっき》は、一本《いっぽん》のばちでたたく太鼓《たいこ》のようでした。

「そしてツタンダ」

それはちいさな太鼓《たいこ》をふたつならべたものらしく、両手《りょうて》で打《う》ち鳴《な》らし、音はこういうぐあいです。

「ツツタツタ、ツタタツツタンタ……」

「三《みっ》つめはコロンギ」

これは太鼓《たいこ》ではありませんでした。どうやら、木琴《もっきん》のような楽器《がっき》で、

「それじゃ、薪《まき》を五本《ほん》ならべて、棒《ぼう》でたたくってわけだな」

とポットさんがいうと、ハシバミはそうそうと、うなずきました。けれど音色《ねいろ》は、

「チロロチロロ、ツララツララ、チロツラツラリラ……」

というものでしたから、どんな薪《まき》でもいいというわけにはいかないようでした。

トワイエさんは、ポケットからメモ帳《ちょう》と鉛筆《えんぴつ》をとりだしました。

「さすがに作家《さっか》は用意《ようい》がいいな」

というポットさんに、トワイエさんは、

「いや、物語のアイデアは、おもいついたときに、その、書いておかないと、忘《わす》れてしまいますから」

といいながら、三《みっ》つの楽器《がっき》を描《か》いて、ハシバミに見せました。スキッパーとふたごも、あわててのぞきこみました。

「ここに、こんなのが、つく」

ハシバミは鉛筆《えんぴつ》をかりて、すこし描《か》きたしました。

ギーコさんとトワイエさんとポットさんは、頭をよせあって相談《そうだん》し、そのつぎの日の午後《ごご》から、

この広場《ひろば》で楽器《がっき》づくりをはじめることにしました。ギーコさんの仕事場《しごとば》でするよりも、ハシバミの意見《いけん》をききながらつくったほうがいいだろう、ということになったのです。

「どうして午後《ごご》から？」

「朝からすればいい」

アケビとスグリがいいましたが、ポットさんは首を左右《さゆう》にふりました。

「きみたちもそうだと思うが、ぼくたちにも、それぞれしなければならん仕事《しごと》というものが、あるのだよ」

そういわれて、ふたごも、自分《じぶん》たちにはパンづくりの仕事《しごと》があったことを思いだしました。でも、午後《ごご》には楽器《がっき》づくりを見にくることにしました。おもしろそうだったからです。もちろん、スキッパーもくることにしました。

つぎの日から、三日《みっか》かかって、三《みっ》つの楽器《がっき》ができました。大きな太鼓《たいこ》、ドンタは、樽《たる》に皮《かわ》を張《は》ってつくりました。小さなふたつの太鼓《たいこ》、ツタンダは、ふたつの桶《おけ》と皮《かわ》でつくりました。五《いつ》つの高さの音をもつ木琴《もっきん》のようなコロンギは、ギーコさんの仕事場《しごとば》にあった木から、いい音がするものを選《えら》んで、切ったりけずったりして音を調節《ちょうせつ》してつくりました。ドンタとコロンギをたたくばちは、ギーコさんが家でつくってきました。

♪ドンタとツタンダとコロンギの つくりかた♪

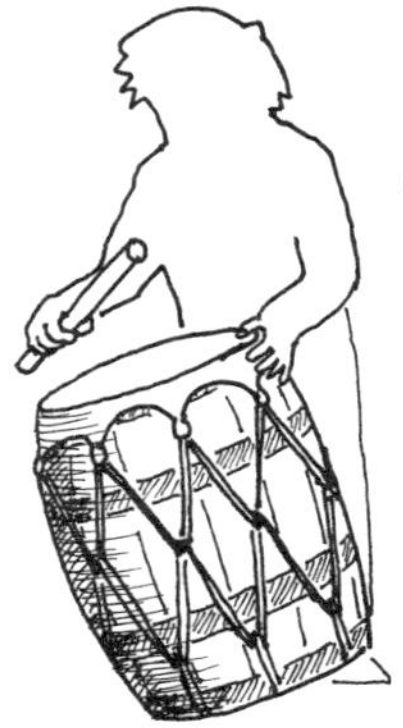

ドンタ

たるから つくった。

ドンタも ツタンダも
皮《かわ》は お湯《ゆ》につけて
のびたものを つける。
かわくと かたく
ぴんと はる。

皮《かわ》の はしに
まるい 小石《こいし》を
つつむようにして
ひもで ひっぱる。

ツタンダ

おけからつくった。

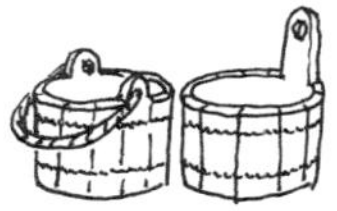

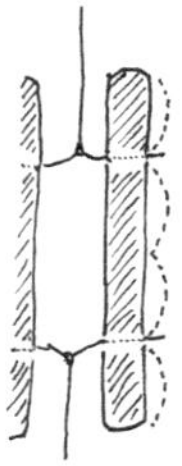

とめるのは
はしから
$\frac{1}{4}$くらいの
ところ。
よくひびく
とめる場所《ばしょ》
を さがす。

同《おな》じ木《き》なら
みじかいほど
たかい音《おと》に
なる。

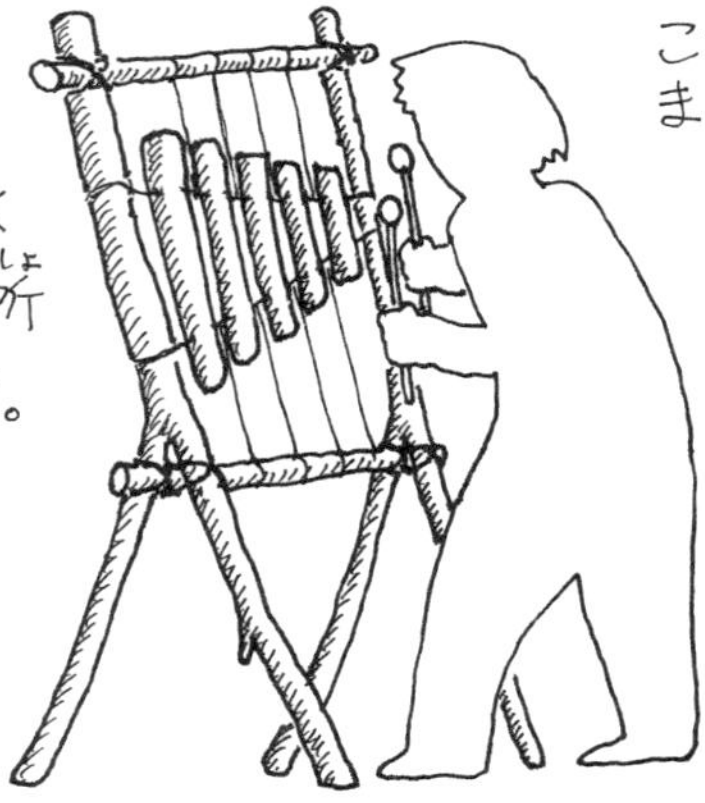

コロンギ

こういう 枝《えだ》を
まず さがした。

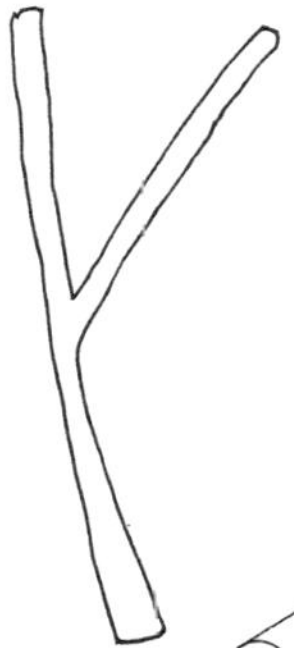

スキッパーやふたごやハシバミも、コロンギの台《だい》にする枝《えだ》をさがしたり、木を切るときにおさえたり、皮《かわ》を張《は》るためにひっぱったりするのを手伝《てつだ》いました。ハシバミは音について、それでいいといったり、注文《ちゅうもん》をつけたりしました。

できあがったときには、だれがどの楽器《がっき》を演奏《えんそう》するか、自然《しぜん》に決まっていました。ハシバミは、ひとつひとつの楽器《がっき》の使《つか》いかたと音の重《かさ》ねかたを、三人《にん》に教《おし》えました。

ドンタはギーコさんです。

ドォム、ド、ドォム、ド、ド……

ばちでたたく大きな太鼓《たいこ》は、単調《たんちょう》なリズムですが、胸《むね》に直接《ちょくせつ》ひびく音でした。そこへポットさんのツタンダがすこし変化《へんか》のあるリズムをつけくわえます。

ツツタンタタンタン、ツツタンタタン……

トワイエさんのコロンギは、これもどちらかというとメロディというよりはリズムという感《かん》じでした。

チチロ、ツラリロ、ラリロ、ツツ……

はじめのうち、三《みっ》つの楽器《がっき》は、それぞればらばらにやかましい音を出しているようにしかきこえませんでした。けれど練習《れんしゅう》をしているうちに、だんだんとまとまりができてくるのがふしぎでした。

リズムにまとまりがでてくると、ハシバミはそれにあわせて歌いはじめました。

「ロォ……オゥ……ミィ……ハンアァ……イェ……シェイアハイア、ホウ……」

それをきいたスキッパーは、あっけにとられました。とても歌とは思えなかったのです。まずなんといってるのかわかりません。叫《さけ》んでいるのでもなく、うなっているのでもありません。なにに似《に》ているかといえば、けものの遠吠《とおぼ》え、あるいは森でとつぜんきこえる鳥の鳴《な》き声《ごえ》のようなものでした。音のはじまりと終《お》わりがはっきりせず、音の高さの変化《へんか》も、いつまでも変《か》わらなかったり急《きゅう》にはげしく変《か》わったり、あまりにも自由《じゆう》でした。

スキッパーだけではありません。ふたごも、リズムを演奏《えんそう》している三人《にん》も、とまどいました。けれど、目をとじて、からだをゆらせて、必死《ひっし》にうたっているハシバミに、笑《わら》うことも、リズムをやめることもできませんでした。

やがて、ふしぎな感覚《かんかく》がおそってきました。からだの奥《おく》のほうで、その声にひびきあうなにかがあるという感《かん》じです。そのうち、この音はずっと前にきいたような気がする、といったなつかしい感《かん》じがしてきました。

歌にあわせてハシバミは、手をたたき、腰《こし》をたたき、拍子《ひょうし》をとりました。いつのまにかスキッパーもふたごも、ハシバミと同《おな》じようにからだをゆらせていました。ふたごは手拍子《てびょうし》さえ、ハシバミにあわせて打《う》っているのでした。

あとからきくと、その歌は〈はじまりの樹《き》〉によせる自分《じぶん》の気持《きも》ちをうたったのだそうです。ハシバミは、もういちど〈樹《き》〉に会いたい、〈樹《き》〉の前で昔のようにみんなと歌いたい、という気持《きも》ちをあらわしたのだといいました。

いっぽうスミレさんは、ハシバミにたのまれて、祭《まつり》に使《つか》う匂《にお》い草《ぐさ》の研究《けんきゅう》をしていました。ある草をかがり火《び》に入れると独特《どくとく》の匂《にお》いがでるのですが、それは村の年長《ねんちょう》のひとの仕事《しごと》だったので、ハシバミはどの草を入れればよいか知らなかったのです。スミレさんは、いくつもの草をハシバミのところに持《も》ってきて、火のなかに入れて匂《にお》いをかいでもらいました。乾燥《かんそう》させたものも、生《なま》のものもです。

スキッパーは、そういえば最初《さいしょ》の夜、不自然《ふしぜん》に緑っぽい匂《にお》いという感《かん》じがしたことを思いだして、スミレさんにそういいました。

「緑っぽい匂《にお》い……？　わかったようでわからないいいかたね。でも、参考《さんこう》になると思うわ。ありがとう、スキッパー」

と、スミレさんはいいました。

毎晩《まいばん》、スキッパーはウニマルの甲板《かんぱん》で、見えないホタルギツネに、その日のことを、心の声で伝《つた》えました。とどけばいいなと思いましたが、あまり自信《じしん》はありませんでした。

まっ暗《くら》だった夜に細《ほそ》い月が出、月はだんだん太《ふと》っていき、半月《はんげつ》になり、満《み》ちていき、夜の空気は、日ごとに冷《つめ》たく、森の木々《きぎ》は色づいていきました。

15

夜の音楽と心の声

じつをいうと、スキッパーは心配《しんぱい》していました。この計画《けいかく》がうまくいかないのではないかという気がするのです。

まずホタルギツネはほんとうに〈樹《き》〉と連絡《れんらく》がとれるのでしょうか。とれたとしても、〈樹《き》〉はきてくれるのでしょうか。きてくれたとしても、うまくリュウをやっつけることができるのでしょうか……、考《かんが》えはじめると、だんだん気が弱くなってくるのです。

きっとうまくいく、と口に出していっているのは、トワイエさんだけでした。

「だって、神話《しんわ》で、ですね、そうなっているのですから、ええ、これはもう、そうなるのに決まっていますよ、はい」

三人《にん》の楽団《がくだん》とハシバミの音楽が形になってきたあたりから、みんなの気分《きぶん》がもりあがってきました。けれどそのことが、スキッパーには、かえって心配《しんぱい》でした。もしもホタルギツネが連絡《れんらく》をとれなかったら、気分《きぶん》がたかまったぶんだけ、たくさんがっかりするように思えるからです。

それなのに、トマトさんとふたごは、人形が完成《かんせい》したと宣言《せんげん》して、いよいよ気分《きぶん》をもりあげました。パンは、焼《や》いて風にさらしておき、三日目《みっかめ》から四日目《よっかめ》が匂《にお》いもとれてちょうどいいということになり、一日おきにパンを焼《や》くことになりました。なにしろ、いつ戦《たたか》いの日がくるかわからないのですから。

つぎに雰囲気《ふんいき》をたかめたのは、かがり火《び》です。燃《も》えにくいハチカマドの木と枝《えだ》を組《く》みあわせてかごのようにしたところに、薪《まき》を入れてつくりました。

さらに、かがり火《び》をたいて、夜に演奏《えんそう》をしてみようということになったその日、タイミングをはかったように、スミレさんが匂《にお》い草《ぐさ》をさがしあてました。

その場面《ばめん》にはちょうどスキッパーもいました。昼《ひる》すぎのことです。広場《ひろば》のハシバミの家のかまどに火をおこし、そこにスミレさんが草を入れると、白い煙《けむり》といっしょに、かわった匂《にお》いがあふれました。これまでにも何度《なんど》もこういうことをして、全部失敗《ぜんぶしっぱい》してきたのです。けれどこんどはちがいました。ハシバミが口をひらくまえに、スキッパーはスミレさんがその草をみつけたことがわかりました。あの夜の匂《にお》いだったのです。

ハシバミは、大きく目をひらいてスミレさんをみつめ、うなずきながらぼろぼろ涙《なみだ》をこぼしました。煙《けむり》が目にしみたのではありません。無理《むり》かもしれないと思っていた草をさがしあててくれたことと、幼《おさな》いころから儀式《ぎしき》のたびに匂《にお》ってきたその匂《にお》いが、とつぜんハシバミに昔《むかし》の暮《く》らしを思いださせ、心をゆさぶったからです。

「スキッパーの、緑っぽいということばがヒントになったの」

と、スミレさんは、あとでいいました。そして、こうもいいました。

「匂《にお》いってふしぎね。あの匂《にお》いに思《おも》い出《で》のないわたしたちは泣《な》かない。でもハシバミは泣《な》くのね。匂《にお》いがハシバミの記憶《きおく》をいっきに呼《よ》びよせてしまったんだわ」

こうして夜の音楽は、この上ない盛《も》りあがりのなかでおこなわれることになりました。ほんとうならスキッパーやふたごは、夜の森のもよおしになど参加《さんか》できないところです。けれど、特別《とくべつ》に参加《さんか》できることになりました。

夕方《ゆうがた》になると、みんなは、つぎつぎに、灯《ひ》のついていないランタンを手にして、広場《ひろば》に集《あつ》まってきました。

ふたごは、ハシバミと同《おな》じような服《ふく》を着《き》てきました。スキッパーも同《おな》じ服《ふく》を着《き》ろとふたごはいったのですが、スキッパーははずかしくて着《き》てこなかったので、ふたごはぷっとふくれました。

空《そら》が暗《くら》くなってくると、四《よっ》つのかがり火《び》に、火がつけられました。スミレさんが匂《にお》い草《ぐさ》を入れると、あの夜と同《おな》じ匂《にお》いがたちこめました。

トマトさんとスキッパーとふたごとスミレさんは、なぜかひとかたまりになって、音楽のはじまるのを待《ま》ちました。

ポットさんが、ツタンダの調子《ちょうし》をしらべるように、さあはじめようぜとほかのひとをさそうように、ツツタツタツタとか、ツツタン、ツタンとか、打《う》ち鳴《な》らしはじめました。

トワイエさんは、コロンギがちゃんといい音を出すかどうか、耳を近《ちか》づけて、小さな音を出してたしかめています。やがてギーコさんが、胸《むね》にひびく音で、ドンタを打《う》ちはじめました。

すぐにツタンダが、ドンタを追《お》いかけて、きっちりリズムをつくりはじめました。ツタンダの強くなったり弱くなったりする呼吸《こきゅう》が、ドンタの強弱《きょうじゃく》をひきだしているようにきこえます。

ドォム、タタツタ、ド、ド、タツタ、ドォム、ツタツン、ド、ド、ツタンタ……

ふたつの太鼓《たいこ》がじゅうぶんにリズムをつくったところに、地下水《ちかすい》が地面《じめん》にしみだしてくるといった感《かん》じで、コロンギが、そっとはいってきました。

チロツロツラツラリ、チロツ、チロツ、ロ、ロ、ロ、ロ、ロロロロチロツ……

たった五《いつ》つの音の高さしかないのに、コロンギの音は、ひとつの流《なが》れになり、ふくれあがり、ころがり落《お》ち、かけあがります。

「この三人《にん》、けっこう、やるわね」

トマトさんがスミレさんにささやきました。スミレさんはゆっくりうなずきました。

とつぜんハシバミの歌がはじまりました。

「ロォー……オゥ……ミィ……ハンアァ……イェ……」

トマトさんは、おもわずからだをうしろにひきました。スミレさんの顔を見て、

——これは、まちがいじゃないの？

という目をしました。スミレさんは、口をとじたまま、ゆっくり首をふりました。

——これでいいの。だまってきいててごらん。

というふうに、です。

ハシバミの歌は、スキッパーがいままでに何度《なんど》かきいたときとは、ちがってきこえました。音の続《つづ》きぐあいや変化《へんか》のしかたは同《おな》じようなのに、今夜《こんや》の声は鮮《あざ》やかで、強くて鋭《するど》くて、きいているだけで胸《むね》がいっぱいになってくるのです。

濃《こ》い緑の匂《にお》いのなかで、かがり火《び》に照《て》らされたハシバミが、目をとじてからだをゆらし、歌い続《つづ》けます。トマトさんもいつのまにか歌にひきこまれ、ハシバミと同《おな》じリズムでからだをゆらしています。

リズムにのった歌声は、みんなの心の底《そこ》の深《ふか》い深《ふか》いところまでもぐりこんでいくようでした。長いあいだ忘《わす》れていた、生《う》まれたままの姿《すがた》の、いのちとかたましいとかいうものにふれてくるようでした。スキッパーは泣《な》きそうになりました。歌をきいただけで、どうして泣《な》きたくなるのかふしぎでした。

やがて歌はリズミカルなものになっていきました。

「ハッ、サユーレ、ホッ、コローオ、

ハッ、サユーレ、ホッコロー」

ハシバミは手をたたき、腰《こし》をたたき、ステップを踏《ふ》み、拍子《ひょうし》をとりました。トマトさんもふたごも、スミレさんやスキッパーさえ、いつのまにか手を打《う》ち、からだをゆらし、歌っていました。

歌はくりかえしのメロディばかりになり、ハシバミは踊《おど》りはじめました。踊《おど》りもほとんどくりかえしの形です。ふたごはすぐに、いっしょに踊《おど》りだしました。

とつぜんハシバミが歌と踊《おど》りをやめました。みんなも音楽と踊《おど》りをやめようとしました。

「続《つづ》けて！」

目をとじたままハシバミが、両手《りょうて》をあおるように振《ふ》って、叫《さけ》びました。くりかえしの歌と踊《おど》りとリズムは、ハシバミ抜《ぬ》きで続《つづ》けられました。なんと歌は、トマトさんがリードしました。

歌と踊《おど》りのなかで、ハシバミは目をとじ、じっとして、こおりついていました。それがやがて静《しず》かに上をむき、その目から涙《なみだ》が流《なが》れだし、両手《りょうて》をあげて音楽を止めると、目をあけ、涙《なみだ》の笑顔《えがお》で、みんなにいいました。

「ホタルが、やった……」

え？　とみんなが顔をみあわせました。

「ホタルギツネが、〈樹《き》〉と話《はな》せた。明日《あす》、ここに、〈樹《き》〉が、くる」

そこまでいうと、ハシバミはその場《ば》にひざをつき、手で顔をおおいました。

「すると、その、ハシバミも、ホタルギツネさんと、会話《かいわ》ができたと、そういうわけですね？」

トワイエさんのことばに、ハシバミは顔をおおったまま、うなずきました。

「ホタルギツネは、いま、〈樹《き》〉と連絡《れんらく》できたのかい？」

ポットさんがいうと、ハシバミはまたうなずきました。

「すると、ぼくたちの音楽に関係《かんけい》があったのかなあ」

ポットさんが遠慮《えんりょ》がちにいうと、ハシバミがはげしくうなずいたので、みんなはおどろきながらもうれしそうな目で、おたがいをみあいました。

すこし気分《きぶん》がおちついたところで、ハシバミが、話してくれました。

演奏《えんそう》と歌と踊《おど》りがくりかえしになったとき、とつぜんホタルギツネと〈樹《き》〉の会話《かいわ》が、ハシバミにきこえだしたというのです。

――お――い。

――お――い。

――お――い。

――ホタルギツネ、その音楽はどうしたんだ？

――ああ、やっと、声がとどいた。

――その音楽は、わたしに親《した》しい。

こうして会話《かいわ》がはじまったときいて、みんなはおもわず拍手《はくしゅ》をしました。そのあと、ホタルギツネは、ハシバミがもとの時代《じだい》にもどりたいといっていることを〈樹《き》〉に話《はな》しました。すると〈樹《き》〉はこうこたえたのです。

――待《ま》っていた。

――知っていたのか。

――わたしは待《ま》っていたのだ。あのあと、そちらではどれくらいの時《とき》が過《す》ぎたのか？

――三ヵ月。そちらはちがうのか。

ホタルギツネがたずねかえすと、〈樹《き》〉はこたえました。

――まだ、あの日の、あの時間のままだ。わたしは、ここで待《ま》っていたんだ。ホタルギツネ、そちらでは、つぎの満月《まんげつ》は、いつだ。

――あす。

――では、あすの夜、その音楽を、前にホタルギツネが呼《よ》んだ場所《ばしょ》で奏《かな》でてくれ。前と同《おな》じ時刻《じこく》に、同《おな》じ場所《ばしょ》へ、音をめあてに、行く。

〈樹《き》〉がそういったときいてみんなは息《いき》をのみ、つぎの瞬間《しゅんかん》、一気《いっき》にしゃべりだしました。

「やった！　やりました！」

「やった、やった、キツネがやった」

「やると思ってた」

「みなさんのおかげです」

「いや、よろこぶのは、まだはやい。問題は明日《あす》だよ」

「そうです。明日《あす》、ええ、いよいよ明日《あす》、リュウと戦《たたか》うのです」

「人形のパンの準備《じゅんび》は？」

「パンはだいじょうぶよ。でも、明日《あす》、ハシバミは行ってしまうのね」

トマトさんのこのことばで、みんなは一瞬《いっしゅん》だまりました。

「で、ホタルギツネさんは、その、どこにいるんですか、いま」

トワイエさんがハシバミにたずねました。それはスキッパーも知りたいことでした。

「それほど遠《とお》くなく、それほど近《ちか》くないところにいる。あすの昼《ひる》、ここにくる、といってる。それから……」ハシバミは、ちらりとスキッパーを見て、続《つづ》けました。

「〈樹《き》〉がホタルギツネに、

——わたしの時代《じだい》にこないか。

と、さそった。ホタルは迷《まよ》った。

——いやになれば、またもどしてあげよう。

と、〈樹《き》〉がいった。

——じゃあ、ちょいと行ってみるか。

と、ホタルはこたえた」

スキッパーは「え？」と思いました。トワイエさんがたしかめました。

「つまり、ハシバミの時代《じだい》に、ホタルギツネさんも、その、行ってしまう、と？」

「はい」

ハシバミがうなずくと、トワイエさんはゆっくりスキッパーのほうを見ました。そして、すごいことになったね、というふうにまゆをあげてみせました。

「さあ、明日《あす》はいそがしい日《ひ》になるぞ。今日《きょう》はそろそろ解散《かいさん》ということにしようじゃないか」

ポットさんが楽器《がっき》をかたづけはじめました。楽器《がっき》は、ハシバミの家に入れておくのです。

みんなはまるくなって、明日《あす》のだんどりのうちあわせをはじめました。

「九時過《す》ぎに、ですね、〈樹《き》〉があらわれる、ということですから……」

トワイエさんのことばを、ポットさんがひきつぎました。

「八時には、すべてのものがここにそろっていなければならんね。楽器《がっき》はここにある、と」

「パンの人形は、服《ふく》を着《き》せて、剣《けん》を入れて、ここに運《はこ》ぶわ」

トマトさんがいうと、ポットさんがうなずきました。

「ぼくも運《はこ》ぶのは手伝《てつだ》うよ。それからかがり火《び》の薪《まき》ももっとあったほうがいい。うちから運《はこ》ぼう」

「ああ、ぼくも手伝《てつだ》います」

トワイエさんが手をあげていいました。

「それから弓矢《ゆみや》を忘《わす》れちゃいけませんね、ええ」

ギーコさんとポットさんが、顔をひきしめてうなずきあいました。

「わたしは、匂《にお》い草《ぐさ》を」

スミレさんもいいました。

「よし、わかった」ポットさんが両手《りょうて》をひろげました。「とりあえず、明日《あす》は昼過《ひるす》ぎにここに集《あつ》まろうじゃないか。ホタルギツネさんもくることだし。それで、できるだけこまかくだんどりを考《かんが》えよう。夕食《ゆうしょく》はみんなで、うちで食べればいい」

話がまとまったところで、ふたごが、おとなたちの輪《わ》のなかに出ていきました。

「ねえ、わたしたちをのけものにしないでしょ」

「もちろん、わたしたちも昼過《ひるす》ぎにここにくればいいんでしょ」

「それは、その、昼間《ひるま》のことだけを、その、いってるんですか？　それなら……」

トワイエさんがたずねると、アケビもスグリも首を左右《さゆう》にふりました。

「昼《ひる》も、夜も」

「もちろん、夜も」

「どちらかにしろっていうなら、夜だけにする」

「わたしも、夜だけでもいい」

「夜はぜったいにだめ」トマトさんがきっぱりいいました。

「あのね、アケビ、スグリ、きいてちょうだい。

明日《あす》は夜おそくなるだけじゃないのよ。戦《たたか》いの場所《ばしょ》になるのよ。

もしかすると、リュウはあなたたちをおそうかもしれないわ。

きいていたでしょ。

ハシバミの村で、こどもがふたりいなくなったって」

「じゃあ、スキッパーは？」

「そう、スキッパーはいいの？」

ふたごがたずねると、トマトさんはこたえました。

「もちろん、だめです」

スキッパーはがっかりしました。そもそもハシバミを助《たす》けだしたのは、ぼくなのに、と思いました。

「ね、だから、昼間《ひるま》は、きてもいいですよ」

トワイエさんが、いいました。

「わかった。じゃあ、わたしたち、夜はウニマルにいる」

「夜は、スキッパーといっしょにいる」

妙《みょう》にわかりがいいなと、スキッパーはふたごを見ました。

ふたごはスキッパーに目くばせをしました。

――あ、こっそり、ここにやってくるつもりだ。

スキッパーが気づいたとき、スミレさんがいいました。

「じゃあ、あたしもウニマルにおじゃましようかしら。匂《にお》い草《ぐさ》をかがり火《び》に入れるのは、ギーコさんにおねがいして」

すかさず、ふたごはいいかえしました。

「スミレさんは、トマトさんといっしょに、湯《ゆ》わかしの家のほうがいいと思う」

「そう、おとなはおとなで……」

「あたしは、あなたたちをみはりにいくんです」

みぬかれていたのです。ふたごはぷっとふくれました。

そのあとみんなは、かがり火《び》の火をランタンにうつし、それぞれの家に帰《かえ》ることになりました。

その夜、ふたごは湯《ゆ》わかしの家に泊《と》めてもらうことになっていました。

スキッパーは、ウニマルまで、ポットさんにおくってもらいました。

暗《くら》い森のなかを歩きながら、ポットさんはしゃべり続《つづ》けました。

「いやあ、いよいよ明日《あす》、その〈はじまりの樹《き》〉っていうのがあらわれるんだろ。どきどきするなあ。湯《ゆ》わかしの家より大きいっていってたよな、スキッパー。ほんとかい？」

「はあ……」

「しかし、ハシバミに、〈樹《き》〉とホタルギツネさんの、心の会話《かいわ》がきこえるっていうんだから、こりゃすごいよなあ。練習《れんしゅう》すれば、ぼくたちにもできるのかなあ、心の会話《かいわ》って」

「いや……」

「ホタルギツネさんと〈樹《き》〉の会話《かいわ》がうまくいったというのは、われわれの音楽がきっかけになったっていってたよな。うん、きょうの演奏《えんそう》は、われながらよかったように思うな。きいていてどうだった？　スキッパー」

「ええ、とても……」

「そうだろ。やっていてわかるんだよ。音楽っていいよな。それから、あの、ハシバミが急《きゅう》にだまって、トマトさんがハシバミにかかわって歌いだしたところがあったろ。トマトさんもなかなかやるよな」

ウニマルにもどるとスキッパーは、歯をみがいてパジャマに着《き》がえ、ベッドにもぐりこみました。頭のなかで、ドンタ、ツタンダ、コロンギがからみあうリズムとハシバミの歌声が、何度《なんど》も何度《なんど》もあらわれては消《き》えました。

16

神話《しんわ》の完成《かんせい》へむけて

スキッパーが起《お》きたのは、昼前《ひるまえ》でした。こんなに朝寝坊《あさねぼう》をするのは、めずらしいことです。朝食《ちょうしょく》と昼食《ちゅうしょく》をかねた食事《しょくじ》をして、広場《ひろば》へ行きました。

もうすこしで広場《ひろば》に出るというところで、

「スキッパー」

ききなれた声がしました。

「ホタル！」

茂《しげ》みのかげに、ホタルギツネがうずくまっています。

「ひさしぶりだな。元気《げんき》にしていたか」

「ホタル、すこしやせたね」

〈樹《き》〉と連絡《れんらく》をつけるために苦労《くろう》したんだろうなと、スキッパーは思いました。

「もとにもどったんだ。缶《かん》づめで太《ふと》ってたんだよ」

「おなかすいてない？　もどって、いちじくのシロップづけでもとってこようか？　マスの水煮《みずに》も、イワシの缶《かん》づめもあるよ」

「そのことばをきいただけで、おれはいま、口のなかによだれが出たよ。だがやめておく。だいじなことの前に、自分《じぶん》を甘《あま》やかさないほうがいい。こっちへきて、そのへんに腰《こし》をおろせよ」

木の根元《ねもと》のはりだしているところに、スキッパーはすわりました。

「あれからどこに行ってたの？」

「ずっと北の森さ。そこは、〈樹《き》〉の声がはじめてきこえたところでな。そこへ行きゃ通《つう》じやすいかも、とか考《かんが》えてさ。ほら、いうだろ。おぼれるキツネは、わらをもつかむって」

「イヌでしょ」

「キツネさ」

あたりまえのような顔でいうので、スキッパーは笑《わら》ってしまいました。

「でも、〈樹《き》〉と、よく連絡《れんらく》がついたね」

「ああ、それにについちゃあ、おれはハシバミの力《ちから》が、というか、あの音楽の力《ちから》が大きいと思うな。あのハシバミの歌とリズムが、きこえるはずのないところにいる、おれにきこえてきたんだ。それに背中《せなか》をおしてもらうって感《かん》じで、〈樹《き》〉と話せたんだからな」

「ぼく、〈樹《き》〉とは、連絡《れんらく》なんて、もうつかないんじゃないかって思ってたよ」

「おれも、だよ」

ホタルギツネとスキッパーはすこし笑《わら》いました。

「スキッパーは、あれからどうしてたんだ」

「……がっかりするなあ」

「どうして」

「ぼく、毎晩《まいばん》、心の声を送《おく》ってたんだよ、ホタルに。きょうはこんなことをしたよって」

「そりゃわるかったな。うけとめるおれのほうが、ほかのことでいそがしかったもんでな。その声は、そのあたりの木の枝《えだ》にでもひっかかっちまったのさ。そのうちにおれのところにとどくかもしれんけどな」

スキッパーは、あらためて、ホタルギツネと話すのって楽《たの》しいなあと思いました。

「でも、行っちゃうんだ」

「そういういいかたをしてくれると、行きづらくなるね。いや、いつかもどってくるよ。そのときには缶《かん》づめと、読書を楽《たの》しませてもらうから」

「きっとだよ」

そういって、読書ということばで、スキッパーは思いだしました。

「ああ、あの本、ホタルが読みかけにしていた本、まだ書斎《しょさい》でそのままのページをあけてあるよ。もどってくれば続《つづ》きを読むかと思ってたんだ」

「え？」

一瞬《いっしゅん》なんの話だという顔をしたホタルギツネは、すぐに思いだしました。

「ほんとかい。わるいが本棚《ほんだな》にしまっておいてくれよ。いや。あの本な、あの、最後《さいご》に本棚《ほんだな》からとってもらった本だろ？　あれは、いろんな神話《しんわ》がのってる本でな、《はじまりの樹《き》の神話《しんわ》》も、ちゃんとはじめからおわりまではいってる」

そんな本がウニマルの本棚《ほんだな》にあったのかと、スキッパーはおどろきました。

「あのとき、おれは全文《ぜんぶん》を読みはじめていたんだけど、ちょいとハシバミの出てくるところを、さきに読んでみようかなって思ったんだ。

スキッパー、本ってふしぎだな。いや、文字がふしぎなのかもしれんな。ハシバミの出てくるところを読んだら、おれは光《ヒカリ》ノ尾《オ》ノ神《カミ》の役《やく》をやらにゃならんってさ、ぞくぞくっとしたわけよ。おれがホタルギツネになったのも、トワイエさんと出会い、〈樹《き》〉としりあいになり、スキッパーとともだちになり、ウニマルで本を読んだのも、そのすべてが光《ヒカリ》ノ尾《オ》ノ神《カミ》の役《やく》をやるってことのためだったんじゃないかって、思えてきたんだ。

そのためには〈樹《き》〉と連絡《れんらく》をとらにゃならん。そこで、本をそのままにして飛《と》びだしたってわけなのさ」

そうだったのか、とスキッパーは思いました。

「そろそろ、みんな集《あつ》まってきたようだぜ」

ホタルギツネが、あごを広場《ひろば》のほうへしゃくってみせました。

「おれはここでしばらく休《やす》んでるから、行かなくちゃならんときに呼《よ》んでくれ」

「わかった」

スキッパーは、広場《ひろば》へ出ていきました。もうみんな、そこにいました。ポットさんがスキッパーをみつけました。

「スキッパー、ちょっときてくれ。ハシバミの手と足を結《むす》んでいた縄《なわ》の結《むす》びかた、おぼえているかい？」

スキッパーは、結《むす》びかたではなく、ほどきかたを説明《せつめい》しました。ポットさんは、ハシバミの家からロープを出してきました。そして、横《よこ》にやってきたアケビをつかまえて、手首と足首にロープをかけ、結《むす》びました。

「わ！　やめて！　やめて！」

といったのはアケビで、スグリは、

「ね！　わたしも！　わたしも！」

といいました。ポットさんはどちらのことばも無視《むし》しました。

「こうかな。ほどいてみてくれ」

スキッパーはほどいてみました。

「そう、まったく同《おな》じ結《むす》びかたです」

スキッパーは感心《かんしん》してしまいました
「すごい！」

「話だけでわかるなんて！」

さわいでいたふたごもおもわずほめました。

ポットさんはまじめな顔でいいました。

「ぼくには、神話時代《しんわじだい》のひととぼくが、同《おな》じ結《むす》びかたができるってことが、なんだかすごいことだと思えるね。その結《むす》びかたを、つぎつぎと伝《つた》えてきたってことがさ」

ほんとにそうだなと、スキッパーも思いました。

「スキッパー」

こんどはトワイエさんが呼《よ》びました。

「〈はじまりの樹《き》〉の大きさなんだけどね、んん、その、だいたい、というか、スキッパーのおぼえている、そう、感《かん》じでは、ね、どのくらいのものか、ちょっと歩いてみてくれませんか。そ

う、根元《ねもと》の位置《いち》を、まるく、だいたい」

スキッパーは記憶《きおく》をたよりに、これくらいかなというところを歩いてみました。ひとまわりしてもどってくると、ポットさんが首をひねりました。

「それって、記憶《きおく》のなかで大きくなってないかい？　ねえ、トワイ……」

トワイエさんは、ギーコさんと顔をみあわせていました。

「どうしたんだ？」

「いや、じつは、ポットさんのくる前に、ですね、ハシバミにも、同《おな》じことを、ええ、してもらったんです」

「すると？」

「その、ほぼ、スキッパーの歩いたのと、同《おな》じなんです、ね」

トワイエさんのことばに、ギーコさんも、ポットさんとスキッパーを見て、うなずきました。

「まさか……」

「ええ、ぼくも、ギーコさんも、その、まさかと思ってはいます。とはいえ、いちおう、ですね、〈樹《き》〉の根元《ねもと》はそれくらいのものだと、考《かんが》えて、計画《けいかく》をたてると、そういうことにしましょう」

「そうだな」

と、いいながらもポットさんは、まだ首をひねっていました。

「では、わたしたちは、このあたりで演奏《えんそう》をしている、と」

どうやら、こまかいだんどりのうちあわせがはじまったようです。トワイエさんのことばに、ポットさんもギーコさんも、いつも演奏《えんそう》する場所《ばしょ》に立ちました。

「スキッパー、今夜《こんや》はもしかすると、それほど霧《きり》は出ないかもしれませんが、その、前のときの霧《きり》は、んん、どのあたりに、出《で》ていましたかね」

トワイエさんにたずねられて、スキッパーは歩きながら、手をひろげてみせました。

「ええっと、このあたりだったと、思います」

「どうして今夜《こんや》は霧《きり》が出ないかもしれないって思うんだい？」

ポットさんがたずねました。

「ああ、それはですね、霧《きり》というものは、その、温度《おんど》の差《さ》で出るでしょう。前のときよりも、こちらの温度《おんど》が、ええ、下《さ》がっていますから、もしかすると、そう、あまり出ないかなと、考《かんが》えたんですけどね」

トワイエさんの説明《せつめい》をききながら、スキッパーは、そうだった、三ヵ月前はまだ暑《あつ》さが残《のこ》っていたと思いました。

「すると我々《われわれ》は、霧《きり》がなければこの場所《ばしょ》にいても〈樹《き》〉は見えるが、霧《きり》が出れば、もっと前へ出て、〈樹《き》〉がはっきり見えるところまで行かねばならんわけだな」

ポットさんのことばに、トワイエさんはうなずきました。

「そうです。楽器《がっき》と武器《ぶき》を持《も》って、ですね。でも、その前に、いちばんにしなきゃいけないのは、人形をつけに、ええ、行くということです。わたしたち三人《にん》と、ハシバミとでね」

四人《にん》は、じっさいに、そのあたりまで行きました。ハシバミが場所《ばしょ》を教《おし》え、ポットさんが人形をささえ、トワイエさんとギーコさんが縄《なわ》をつける役《やく》のようでした。

「アケビ、さっきのロープを持《も》ってきてくれ」

ポットさんが呼《よ》んで、アケビが人形の役《やく》をやり、トワイエさんとギーコさんが結《むす》ぶ練習《れんしゅう》をしました。

「じゃあ、人形をしばりつけたと、しましょう。はい、ここで、われわれ三人《にん》は、んん、楽器《がっき》と武器《ぶき》を用意《ようい》し、ハシバミとホタルギツネさんは……、ホタルギツネさんは？　その、まだこないのですか？」

スキッパーは、林《はやし》のほうにむかって呼《よ》びました。

「ホタルー、そろそろだよ」それからみんなにいいました。「ひとやすみしてたんです」

広場《ひろば》に出てきたホタルギツネにみんなは集《あつ》まり、ひさしぶりだの、〈樹《き》〉と連絡《れんらく》がついてよかったのと話しだそうとしました。が、キツネはいいました。

「話やあいさつは抜《ぬ》きにして、リハーサルを続《つづ》けようじゃないか」

そこでそうすることになりました。みんなにわいわいとさわがれるのが、ホタルは好《す》きじゃないんだなと、スキッパーは思いました。ホタルギツネはすこし歩いて、みんなを見ました。

「おれが〈樹《き》〉を呼《よ》んだのは、このあたりだ。だからここで演奏《えんそう》をするんだぜ」

トワイエさんたちはその場所《ばしょ》に立ちました。

「はい。それで、〈樹《き》〉が、ええ、あらわれて、ん、人形をつける、と」

「いっとくが、〈樹《き》〉があんまりでかいんで、腰《こし》を抜《ぬ》かすんじゃないぜ」

キツネのことばに、スキッパーはくすりと笑《わら》いました。腰《こし》を抜《ぬ》かしそうになったのはホタルギツネだったのです。

「わかりました。気をつけます」

トワイエさんはそういいましたが、ポットさんは首をひねりました。

「で、ハシバミとホタルギツネさんは、んん、霧《きり》が出ていれば、霧《きり》の外側《そとがわ》を通《とお》って、こちらからいえば、そう、〈樹《き》〉のうら側《がわ》、むこう側《がわ》へ行くんです。霧《きり》が出なければ、広場《ひろば》のまわりの木の下《した》を通《とお》ってください」

「おれのしっぽがめだつが、いいかい？」

「あ」

トワイエさんは、どうしようという顔でみんなを見ました。

「マントのようなものをかぶってもらうとどうかしら。あまり光を通《とお》さない布《ぬの》で」

ずっと木陰《こかげ》でようすを見ていたスミレさんがいいました。

「それがいい。うちにあるから、あとで持《も》ってこよう」

ポットさんがいって、トワイエさんがポケットから手帳《てちょう》を出して、メモしました。

「マントをかぶったキツネ、ね」

ホタルギツネがつぶやいたので、あわててトワイエさんがたのみました。

「あ、そうしてもらえますか、ホタルギツネさん」

そのあとのだんどりは、こういうぐあいでした。

ハシバミとホタルギツネは、〈樹《き》〉のむこう側《がわ》で待《ま》っています。トワイエさんたち三人《にん》は、リュウがあらわれるのを待《ま》ちます。リュウがあらわれると、ポットさんがツタンダをたたきはじめます。それが合図《あいず》です。ハシバミとホタルギツネは、ポットさんのツタンダがきこえていれば、安《あん》心《しん》してリュウの目のとどかない〈樹《き》〉のうら側《がわ》、かがり火《び》のない側《がわ》を登《のぼ》れるわけです。

「しかし、暗闇《くらやみ》をあかりなしで〈樹《き》〉に登《のぼ》れるかい？」

ポットさんが心配《しんぱい》そうにハシバミを見ました。

「おれは暗《くら》くても見えるから、おれのいうとおりに登《のぼ》ればいい」

ホタルギツネがいうと、ふたごが続《つづ》けました。

「心の声で教《おし》えればいい」

「そうすればリュウにはきこえない」

「なるほど。じゃあ、それはいいとして、もしもリュウのやつがだね、太鼓《たいこ》の音を気にして、ぼくのほうにむかってきたら、どうするんだ？」

ポットさんがまゆをよせていいました。トワイエさんが、こたえました。

「神話《しんわ》を信《しん》じるなら、そういうことは、ない、と、ぼくはそう思うんですが、もしもかりに、そうなれば、ぼくと、ギーコさんが、弓矢《ゆみや》でリュウを攻撃《こうげき》します。ポットさんも、太鼓《たいこ》をたたくのはよして、攻撃《こうげき》してください。ポットさんの弓《ゆみ》は、とても強力《きょうりょく》ですから、いつもそばに置《お》いておくように、ですね、してください。神話《しんわ》と、ちがう形になるというのは、んん、その、残念《ざんねん》なんですけどね」

「リュウにまるのみにされるほうが、ずっと残念《ざんねん》だよ」

と、ポットさんはいいました。

計画《けいかく》どおりにリュウが人形を食べてくれたら、ギーコさんのドンタが加《くわ》わります。もう、いつハシバミがあらわれてもいいぞという合図《あいず》です。

〈樹《き》〉の上のほうで、ハシバミがあらわれます。リュウの気をひくことばと動きをします。リュウがハシバミのほうへ登《のぼ》っていったら、ホタルギツネがマントをとり、リュウの目の前を横切《よこぎ》る。神話《しんわ》どおりなら、これでリュウは落《お》ちて死《し》ぬはずです。

神話《しんわ》どおりにならなければ、下から弓矢《ゆみや》で攻撃《こうげき》するのです。

「それでリュウが死《し》んだら、神話《しんわ》はどうなるんだろうね」

ポットさんが首をかしげました。トワイエさんは自信《じしん》たっぷりにうなずきました。

「それは、ええ、だいじょうぶ。見ているのは、われわれの時代《じだい》の者《もの》ばかりですから。つまり、ハシバミとホタルギツネさんが、神話《しんわ》どおりのことを、ほかのひとに説明《せつめい》してあげれば、ええ、神話《しんわ》は、その、守《まも》られるでしょ」

「おいおい」ポットさんはトワイエさんにむきなおりました。「それなら、はじめからみんなで攻撃《こうげき》すればいいじゃないか」

トワイエさんはあわてて手《て》をふりました。

「いやいや、できれば、その、神話《しんわ》どおりに、ええ、いきたいじゃありませんか。というより、そうなるように、決《き》まっているんだと、ぼくは信《しん》じているんです。ええ」

トワイエさんのことばに、ポットさんはまゆをあげて、首を左右《さゆう》にふりました。

そのあと、湯《ゆ》わかしの家から、かがり火《び》の薪《まき》と人形を広場《ひろば》に運《はこ》び、ホタルギツネのマントをためし、みんなで湯《ゆ》わかしの家で夕食《ゆうしょく》をとることになりました。

ホタルギツネだけは、いっぴきで食事《しょくじ》をしたいといって、森にはいっていきました。虫と果物《くだもの》の食事《しょくじ》だなと、スキッパーは思いました。

湯《ゆ》わかしの家の夕食《ゆうしょく》では、ハシバミがあいさつをしました。お世話《せわ》になりましたということと、みなさんのことは忘《わす》れませんということです。それでスキッパーは、ほんとうに行ってしまうんだなと思いました。そして、ハシバミがこの三ヵ月の間《あいだ》に、おとなになってしまったような気がしました。だれも、あまりたくさん食べられませんでした。そして、あまりおしゃべりをしませんでした。ふたごが静《しず》かにしていたのは、いい子にしていたら、夜《よる》の広場《ひろば》へ行かせてもらえるかも、と思ったからですが、だれもふたごがいい子にしている、と気づいたりしませんでした。このあとのことで心がいっぱいだったからです。

17

ランタンに灯《ひ》をつけて

広場《ひろば》へ出発《しゅっぱつ》する時間がきました。

ウニマルへ行くスキッパーたちも、いっしょに湯《ゆ》わかしの家を出ることにしました。

「もう、忘《わす》れているものは、ないですね」

トワイエさんは何度《なんど》も頭のなかでだんどりをくりかえしているようでした。空中《くうちゅう》をにらんで、ひとさし指《ゆび》をふりまわし、ぶつぶつと、つぶやいていましたから。

トマトさんは、行こうか行くまいか迷《まよ》っていました。ハシバミやみんながあぶないめにあうのは見ていられない、というのです。そう思うとこんどは、みんながあぶないめにあっているのに、自分《じぶん》だけ家にはいられない、というのでした。そこで、とりあえずついていく、ということにしました。

湯《ゆ》わかしの家の前で別《わか》れるとき、ハシバミは、ふたごとスミレさんにお礼《れい》をいって、そのあとスキッパーの前に立ち、あの目でまっすぐにみつめると、頭をさげました。

「ありがとう、スキッパー。ほんとに、ありがとう」

これから戦《たたか》いにいくハシバミに、スキッパーはなんといえばいいのか、わからず、

「だいじょうぶ？」

と、いいました。ハシバミはこくっとうなずいて、ふっとほほえみました。

「はじめて、会ったときも、スキッパー、そういった」

そうだったっけ、とスキッパーは思いました。ハシバミは重《かさ》ねていいました。

「だいじょうぶ。こんどは、逃《に》げださない」

あ、逃《に》げるかどうかなんてたずねたつもりじゃなかったんだけどな、とスキッパーが思ったとき、スミレさんがいいました。

「ハシバミ、最後《さいご》にひとついわせてくれる？　あなたは逃《に》げたことをずいぶん気にしているけれど、あのとき逃《に》げたから、多《おお》くのことを学《まな》べたのじゃないの？　ときには逃《に》げることも必要《ひつよう》なのよ。これからだって、そうよ。逃《に》げてもいいのよ」

ハシバミはスミレさんをじっと見て、ゆっくり深《ふか》く、うなずきました。そしてスキッパーに目をもどすと、

「じゃ」

といいました。スキッパーは、

「うん」

と、こたえました。

夕闇《ゆうやみ》が深《ふか》まる紅葉《こうよう》した森のなかに、ハシバミたちは、はいっていきました。それを見送《みおく》ってか

ら、スキッパーたちもウニマルにむかいました。

「ねえ、どうしてもだめ？」

「ぜったい？」

ふたごはまだあきらめがつきません。

「ねえ、スキッパーは見にいきたくないの？」

「リュウが出てくるのを見たくないの？」

きかれるまでもなく、スキッパーだって見たいに決《き》まっています。だからさっきから、胸《むね》のなかになにかがつかえているような感《かん》じがしているのです。

ウニマルに着《つ》くと、ランプに灯《ひ》をつけ、ストーブで湯《ゆ》をわかしました。とりあえずお茶の用意《ようい》をしようというわけです。

「ここで、太鼓《たいこ》の音はきこえる？」

スミレさんがスキッパーにたずねたとたん、ふたごは甲板《かんぱん》に飛《と》びだしました。

「きこえない」

「ぜんぜん」

「そりゃそうでしょうよ。まだたたく時間じゃありません」

まだ八時前です。八時半を過《す》ぎないと、音楽ははじまらないでしょう。

「風のむきにもよるけど、静《しず》かだったら、きこえると思います」

そうこたえながら、スキッパーは、三ヵ月《さんかげつ》前とちがって、虫の声がほとんどきこえなくなっていることに気づきました。

お茶がはいって、広間《ひろま》のテーブルで飲《の》むことにしました。

「スキッパーはいい。その大きな〈樹《き》〉をいちど見てるから」

「そう。わたしたちは見ていない」

「この森のひと、みんなが見るのに」

「わたしたちだけが、見ないことになる」

ふたごはいつまでもぐちぐちこぼしました。

「あたしも見ないことになりますよ」

スミレさんがそういっても、なんのなぐさめにもなりません。

スミレさんをトイレにとじこめるか、ロープでしばるかして、三人《にん》で抜《ぬ》けだそうとか、もしスミレさんが、わたしたちがでかけるのをみのがしてくれれば、これからさき、どんないいつけにでもしたがうとか、わたしたちのいうとおりにしないと呪《のろ》いをかけるとか、さまざまなおもいつきを、ふたごは口にしました。

スミレさんはいいました。

「それ以上口《いじょう》をあけると、あなたたちをトイレにとじこめます」

ふたごが静《しず》かになったとき、遠《とお》くで太鼓《たいこ》の音がきこえました。

ふたごは立ちあがろうとしました。

「いすからおしりをはなすと、トイレにとじこめます」

ふたごはぷっとほっぺたをふくらませました。

こちらにむかって吹《ふ》く風がでてきたのでしょう、思ったよりもはっきりと太鼓《たいこ》の音はきこえます。

いまごろ広場《ひろば》では、ハシバミが歌いはじめているだろう、ホタルはどのあたりにいるんだろうか。そう思うとスキッパーは、こうしてウニマルで、ふたごとスミレさんといっしょのテーブルにいるということが、まちがったことのように思えてなりませんでした。

スキッパーは立ちあがりました。ふたごとスミレさんがスキッパーを見ました。

「書斎《しょさい》へ……」

スキッパーはつぶやくようにいいました。書斎《しょさい》へ行かなければならない用《よう》などなかったのです

が、ひとりになりたかったのです。

うす暗《ぐら》い書斎《しょさい》のテーブルには、あけたままの本がありました。書斎《しょさい》にあったランタンに灯《ひ》をつけました。本の横《よこ》にランタンを置《お》くと、小さな字がならんでいます。ホタルが心を決《き》めたページです。

スキッパーは、そのページをながめました。

まず二行《ぎょう》あって、物語の区切《くぎ》りをあらわしているらしい空白《くうはく》があります。そのつぎに、トワイエさんが読んでくれたあの文がありました。〈さて、はじまりの樹《き》にリュウがすみついた〉で始《はじ》まる文です。

あれ?

スキッパーの目がその前の二行《ぎょう》にひっかかりました。カラスという文字が見えたのです。読んでみました。

――リュウだ!

人々《ひとびと》の叫《さけ》び声《ごえ》で、カラスは、自分《じぶん》がリュウになったことを知《し》った。

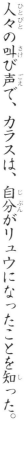

カラス？　たしかハシバミのお兄《にい》さんはカラスという名じゃなかっただろうか……。あわてて、前のページをめくりました。やはりページのとちゅうに区切《くぎ》りの空白《くうはく》があって、そのあとにこんな文が続《つづ》いていました。

さて、はじまりの樹《き》の近《ちか》くで、人々《ひとびと》は平和《へいわ》に暮《く》らしていた。けものを狩《か》り、魚《さかな》や貝《かい》をとり、海《かい》草《そう》や草《くさ》、木《き》の実《み》を食《た》べ、やがて作物《さくもつ》を育《そだ》てることさえはじめた。だが、けものがとれず、海《うみ》に魚《さかな》も貝《かい》もいなくなり、作物《さくもつ》が枯《か》れるというときもある。そんなときに人々《ひとびと》は、はじまりの樹《き》の下《した》に集《あつ》まり、火《ひ》をたき、歌《うた》と踊《おど》りをささげ、祭《まつり》をした。すると樹《き》は多《おお》くの実《み》を落《お》とした。人々《ひとびと》はそれで飢《う》えなくてすむのだった。

ある飢饉《ききん》の年《とし》だった。カラスという若者《わかもの》が、祭《まつり》を待《ま》ちきれず、たったひとりではじまりの樹《き》に登《のぼ》った。おなかをすかせた病《やまい》の母親《ははおや》に、樹《き》の実《み》を食《た》べさせようと、おきてを破《やぶ》って祭《まつり》の前《まえ》に、こっそり盗《ぬす》むつもりだった。

スキッパーは胸《むね》がどきどきしてきました。

ハシバミは「お父《とう》さん、死《し》んで、お母《かあ》さん、病気《びょうき》になって、お兄《にい》さん、いなくなって……」といっていたのです。

カラスは登《のぼ》り続《つづ》けた。大地《だいち》がはるか下《した》に見《み》えるまで登《のぼ》ると、夥《おびただ》しい実《み》がなっていた。これで母親《ははおや》が助《たす》かる、そう思《おも》うと、急《きゅう》に自分《じぶん》も死《し》ぬほど空腹《くうふく》であることに気《き》がついた。カラスは実《み》をひとつもぎとると、口《くち》に入《い》れた。ひとつ食《た》べるともうひとつほしくなった。もうひとつ食《た》べるとも う止《と》まらなくなった。つぎからつぎへと実《み》をもぎとっては口《くち》に運《はこ》んだ。むさぼり食《く》うカラスの身体《からだ》はどんどん大《おお》きくなり、いつか実《み》は、手《て》でとるのではなく、大《おお》きな口《くち》で直接《ちょくせつ》食《く》いちぎってはのみこんでいた。

祭《まつり》がはじまった。火《ひ》がたかれ、太鼓《たいこ》が打《う》ち鳴《な》らされ、歌《うた》がうたわれ、踊《おど》りが続《つづ》いた。人々《ひとびと》の頭《あたま》の上から、樹《き》の実《み》が雨《あめ》のようにふりそそいだ。人々《ひとびと》が樹《き》の実《み》を袋《ふくろ》いっぱいつめこんだとき、樹《き》の上から巨大《きょだい》な怪物《かいぶつ》が、黒《くろ》い霧《きり》におおわれておりてきた。

——リュウだ！

人々《ひとびと》の叫《さけ》び声《ごえ》で、カラスは、自分《じぶん》がリュウになったことを知《し》った。

「たいへんだ」

その声をふたごがききつけました。

「スキッパーがなにかいってる」

「『たいへん』ってきこえた」

「みんなを止めなきゃ」

こんどは、はっきりといいました。

「『止めなきゃ』っていってる」

「いってる」

スミレさんが、

「なんのことなの？　スキッパー」

と、立ちあがったとき、スキッパーはもう書斎《しょさい》から広間《ひろま》へ階段《かいだん》を駆《か》けあがっていました。そして
そのまま、甲板《かんぱん》へ続《つづ》く階段《かいだん》を駆《か》けあがりました。

「スキッパー！　どこへ行くの？　待《ま》ちなさい！」

スミレさんが叫《さけ》びました。ドアをあけたスキッパーは一度《いちど》だけふりかえりました。

「たいへんなんだ！　みんなを止めなきゃ！」

スキッパーはウニマルのはしごをもどかしく駆《か》けおりると、満月《まんげつ》が照《て》らしているウニマルの広《ひろ》

場《ば》を走りました。そして、そこで足が止まりました。木立《こだち》のなかはまっ暗《くら》なのです。走れません。それでも暗闇《くらやみ》のなかに足を踏《ふ》みいれました。

そのときウニマルの甲板《かんぱん》で叫《さけ》んでいるスミレさんの声がきこえました。

「スキッパー！　一分《ぷん》だけ、待《ま》ちなさい！　アケビ、スグリ、ランタンに灯《ひ》をつけて持《も》ってきなさい！」

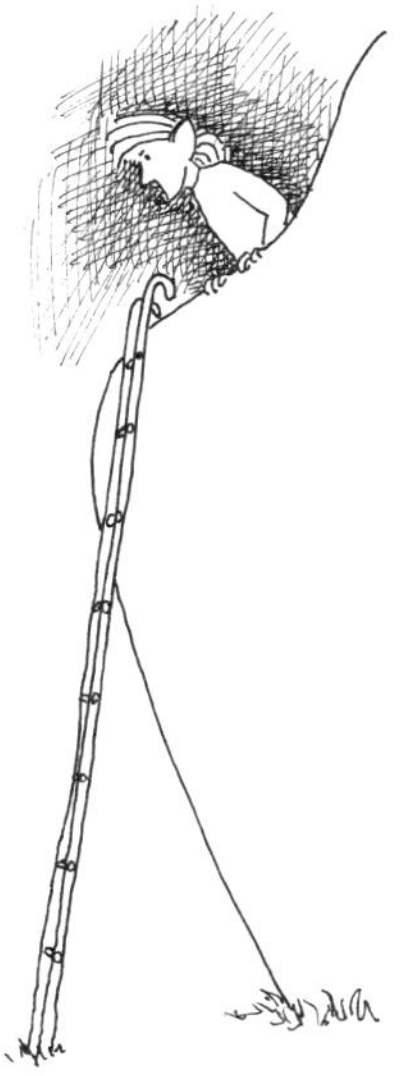

太鼓《たいこ》の音《おと》が風に乗《の》ってひびいてくるまっ暗《くら》な森を、ふたつのランタンが進《すす》みます。前のランタンはスキッパーが持《も》っています。もうひとつのランタンはスミレさんが持《も》っています。ふたりのあいだをふたごが歩いていきます。ついてきてしまったのです。

「なにがたいへんなの？　なにをとめるの？」

スミレさんがいいました。

「リュウは、ひとだったんです」

「リュウが、ひと？」

スキッパーは、ランタンが照《て》らす足もとがうしろに流《なが》れていくのを見ながら、いま読んだ本の

ことを話しました。

「その、カラスというのは、ハシバミのお兄《にい》さんかもしれないんです」

スミレさんが息《いき》をのむのがきこえました。

もうドンタとツタンダの音がはっきりききわけられるようになりました。けれどコロンギの音とハシバミの声はきこえません。風の音で消《け》されるのです。

「それじゃあ、あたしたちのしていることは」スミレさんはつぶやくようにいいました。「ひととものつながりやいのちのことにとても感《かん》じやすいハシバミに、武器《ぶき》をわたして、ひとを殺《ころ》させようとしてるってことじゃないの」

「たいへんだ」

と、アケビがいいました。

「止めなきゃ」

と、スグリもいいました。

「急《いそ》ぎましょう」

スミレさんがきっぱりといいました。

スキッパーの胸《むね》はずっとどきどきしていました。

それが急《きゅう》に、重苦《おもくる》しい不安《ふあん》を感《かん》じはじめました。

「スキッパー、感《かん》じる？」

スミレさんが声をかけました。思《おも》いだしました。

「嵐《あらし》の前の感《かん》じ」

と、スキッパーはこたえました。

「そう、〈樹《き》〉が近《ちか》づいているのよ。でもまだ広《ひろ》場《ば》には着《つ》いていない。音楽が続《つづ》いている」

もう半分《はんぶん》は進《すす》んだでしょう。コロンギの音もきこえます。なんとか、〈樹《き》〉がやってくるよりもはやく広場《ひろば》に着《つ》きたい。そうスキッパーが思ったとき、ぴたりと音楽がとぎれました。

四人《にん》はおもわず息《いき》をのみ、足を止めました。一瞬《いっしゅん》、間《ま》をおいて、強い風が吹《ふ》き抜《ぬ》けました。頭の上から、たくさんの葉《は》が、音をたてて舞《ま》い落《お》ちました。

「あ！　あそこ！」

スグリが叫《さけ》んで斜《なな》め上を指《ゆび》さしました。木と木のあいだから、満月《まんげつ》に照《て》らされて、雲のかたま

りがわきたつのが見えました。そしてそれがみるまに空中《くうちゅう》にとけていき、そこに、さざ波《なみ》のように月の光を照《て》りかえすかたまりがあらわれました。木《こ》の葉《は》の茂《しげ》みです。

〈樹《き》〉が、広場《ひろば》にやってきたのです。

「なんという、大きさ……」

スミレさんが、つぶやきました。そして、気をとりなおしていいました。

「急《いそ》ぐのよ」

四人《にん》は、せいいっぱいのはやさで進《すす》みました。ようやく広場《ひろば》のあかりが見えてきました。黒々《くろぐろ》と影《かげ》になった木と木のすきまから、ちらちらとかがり火《び》が見えます。その数《かず》が妙《みょう》にたくさんあるようです。こそあどの森のかがり火《び》とハシバミの時代《じだい》のかがり火《び》が、重《かさ》なって見えているのです。

「もう、人形は、くくりつけたのかしら」

スミレさんが、はずむ息《いき》でささやくようにいいました。

「見えない」

「わからない」

ふたごがこたえています。スキッパーは目をこらしました。むこうをむいているトマトさんの影《かげ》が見えます。そして、そのむこうのうす暗《くら》がりに、人形が見えました。

「くくりつけられてる」

スキッパーも、小声《こごえ》でいいました。

「ということは、ハシバミとホタルギツネさんは、〈樹《き》〉のむこうのほうへ、まわりこんでるって、ことね」

スミレさんのことばで、スキッパーの胸《むね》に浮《う》かんだことは、こちら側《がわ》で叫《さけ》んでも、ハシバミとホタルギツネにはきこえないかもしれない、ということでした。

あたりの空気に、匂《にお》い草《ぐさ》の緑《みどり》っぽい匂《にお》いがまざってきました。もうすぐそこが、広場《ひろば》です。

「ええ⁉」

「うそ！」

「まあ！　なんて……」

アケビとスグリとスミレさんのつぶやきがきこえました。いまやっと、〈樹《き》〉の大きさがわかったのです。

四人《にん》は広場《ひろば》に出ました。

「……！」

ふたごとスミレさんは息《いき》をのんだきり、声も出ませんでした。トマトさんがすぐ横《よこ》でつっ立っ

ています。そのすこし右のほうにポットさんとトワイエさんとギーコさんがいます。楽器《がっき》の前に立って、たましいを抜《ぬ》かれたように〈樹《き》〉をみあげています。

トマトさんがゆっくり四人《にん》を見て、なにもいわずに〈樹《き》〉に目をもどしました。どうしてここにきたのだ、などと声をかけることもできません。ただもう〈樹《き》〉の大きさと、〈樹《き》〉から出てくる見えない力《ちから》に圧倒《あっとう》されているのです。

一度《いちど》見ているスキッパーでさえ、目をうばわれます。みわたすかぎり、〈樹《き》〉の根元《ねもと》なのです。大地《だいち》からたちあがる巨大《きょだい》なうねり。それがからまりあい、こぶとなり、折《お》り重《かさ》なって幹《みき》となり、幹《みき》は高みに昇《のぼ》りつめ、はるか上空《じょうくう》にはりだす枝《えだ》と茂《しげ》みは、広場《ひろば》の空をおおいつくしています。茂《しげ》みの輪郭線《りんかくせん》のあたりを、スキッパーの時代《じだい》の満月《まんげつ》が、風にゆれて波立《なみだ》つ葉《は》を光らせています。

そのとき、何人《なんにん》かの息《いき》をのむ気配《けはい》がおこりました。

ツタタン！

太鼓《たいこ》の音に、スキッパーは、一瞬《いっしゅん》、右側《みぎがわ》にいるポットさんを見ました。かがり火《び》に顔を赤くしたポットさんが、太鼓《たいこ》にしがみつくようにして、〈樹《き》〉の幹《みき》をにらみあげています。

ツタン！

スキッパーもみあげました。幹《みき》が最初《さいしょ》に枝《えだ》をはるあたり、かがり火《び》の光がようやくとどくかとどかないかというとうす暗《くら》がりに、黒い影《かげ》のかたまりがありました。

それがずずっとはいおりました。

タンツタ！

――あれが、あれがリュウ!?

スキッパーは目をこらしました。形ははっきりとはわかりません。黒い影《かげ》は、水のなかで小魚《こざかな》がびっしり群《む》れているように、輪郭《りんかく》が定《さだ》まらず、つねに動いて、ぼやけています。その黒い霧《きり》のかたまりのようなものが、トカゲかヤモリのような動きかたをしたのです。

タタタン！

スキッパーははっと気をとりなおしました。こうしてはいられません。

タン！

ランタンをその場《ば》に置《お》くと、スキッパーは左側《ひだりがわ》にむかって走りだしました。広場《ひろば》を囲《かこ》む木立《こだち》ごしに、月の光がとどいている草の上を走りました。

ツツタン！

このあたりまでくれば、ハシバミに声がとどくだろうというところで、立《た》ち止《ど》まり、両手《りょうて》をメガホンの形にしました。

タツン！

そのとき、はじめて気がつきました。風がゆらす〈樹《き》〉の葉《は》がたてる音《おと》です。数《かぞ》えきれない葉《は》と葉《は》がすれあい、打《う》ちあう音が頭の上から強く弱く、たえまなく、波《なみ》のようにふりそそいでいたのです。

18

ハシバミの戦《たたか》いかた

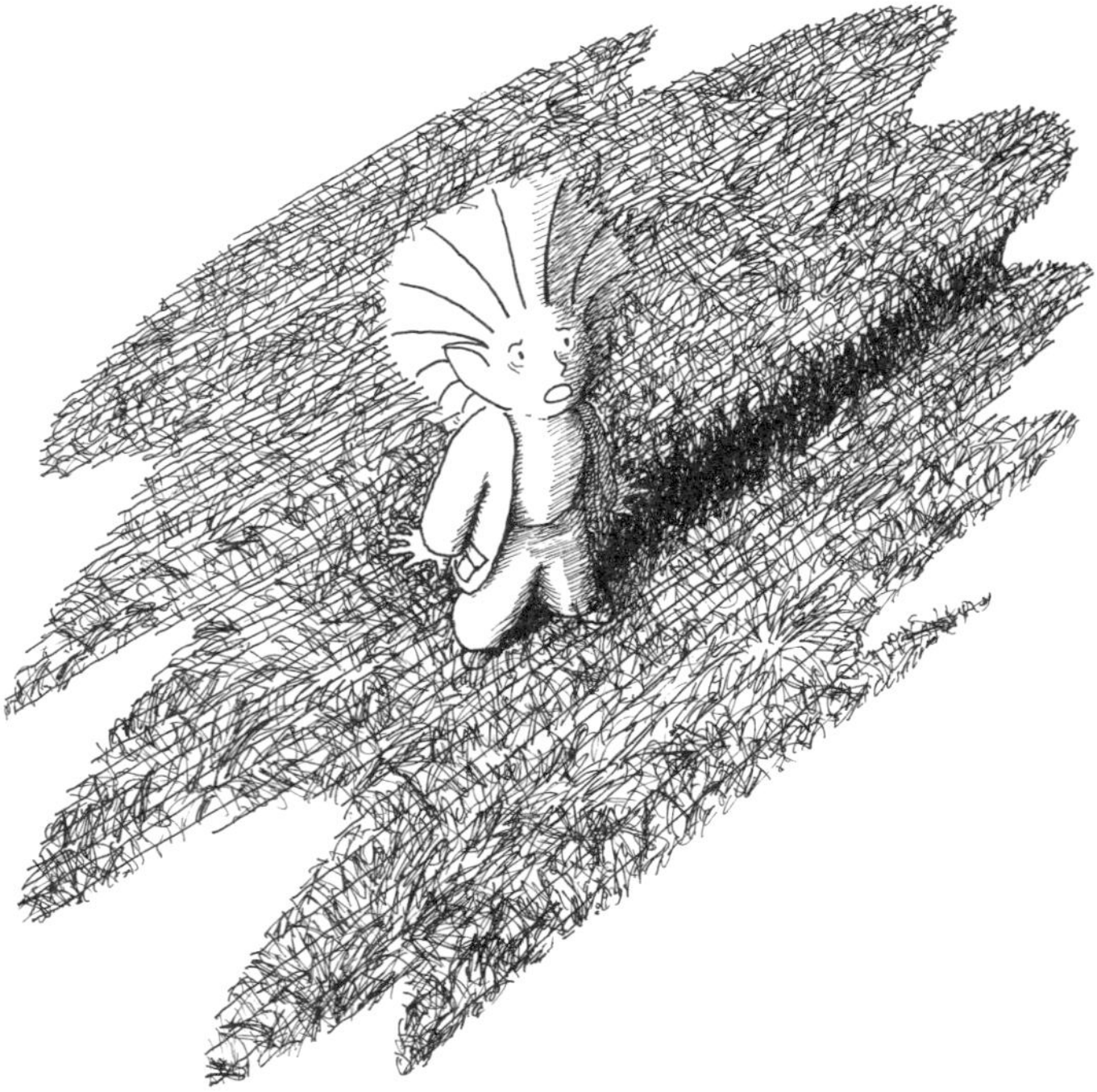

――これでは、ハシバミにはきこえない！

かがり火《び》のとどくあたりにいるのならともかく、〈樹《き》〉の上のほうにハシバミが登《のぼ》れば登《のぼ》るほど、葉《は》の音で、下からの声はきこえなくなるにちがいありません。登《のぼ》っておいかけようか。そう思ってみあげる〈樹《き》〉は、ハシバミが登《のぼ》っているはずの暗《くら》い側《がわ》は、まったくの闇《やみ》でした。とても登《のぼ》れません。

――だめだ！

スキッパーは絶望的《ぜつぼうてき》な気持《きも》ちになりました。

それでも叫《さけ》ばずにはいられませんでした。

「ハシバミ！　きいて！」

のどがつぶれるようなスキッパーの声に、ポットさんやトワイエさんたちがむこうのほうで声をあげました。

「ス、スキッパー！」

「なにをしているんだ！」

「リュウは、ひとだったんだ！」

「なんだって？」

「なにをいってるんだ？」

「ポットさん、あ、合図《あいず》は続《つづ》けなきゃ」

ツツタン！

「本に、書いて、あったんだ！」

「スキッパーのいってることはほんとう」

「スキッパーにいわせてあげて！」

「カラスという、ひとなんだ！」

「ハシバミのお兄《にい》さんかもしれないの！」

「お兄《にい》さん!?」

「スキッパー！　叫《さけ》んでもきこえんぞ」

ポットさんの声で、からだの力《ちから》が抜《ぬ》けました。

もうだめだと思いました。ひざが、地面《じめん》につきました。

——やっぱりきこえないんだ。ああ、ハシバミ。……ハシバミ。

スキッパーの目に涙《なみだ》があふれたそのとき、

（スキッパー？）

ハシバミの声が、スキッパーのからだのなかでひびきました。

（……ハシバミ？）

（スキッパー？）

（スキッパー？）

（……ホタル？）

（おまえ……！）

（ハシバミ！　ホタル！　きいて！

リュウは、ひとだったんだ。

《はじまりの樹《き》の神話《しんわ》》に書いてある。

カラスという、ひとだったんだ）

（カラス？）

（カラスだよ、ハシバミ！　病気《びょうき》のお母《かあ》さんに食べさせようと思って、おきてをやぶって、祭《まつり》の前にこっそり〈樹《き》〉に登《のぼ》ったんだ。つい〈樹《き》〉の実《み》を食べてしまったら、止まらなくなって、リュウになってしまったんだ）

ツタン！　ツタン、ツタン、タン……

（人々《ひとびと》の叫《さけ》び声《ごえ》で、カラスは、自分《じぶん》がリュウになったことを知った、そう書いてある！）

リズムがはやくなりました。リュウが動きだしたのです。

黒い霧《きり》のかたまりが、その輪郭《りんかく》をふくらませたり、ゆらしたり、空中《くうちゅう》にとけこませたりしながら、のたりのたりとトカゲのような身《み》のくねらせかたで、〈樹《き》〉をはいおりてきます。おりてくるほどにその姿《すがた》と大きさがおそろしく、トマトさんたちは、二、三歩《ぽ》さがりました。

タタツタタンツタ、タタツタタンツタ……

ギーコさんとトワイエさんが弓《ゆみ》をかまえるのが見えます。

（ハシバミ！　リュウは、カラスなんだよ！　殺《ころ》しちゃいけない！）

人形をひとのみにすれば剣《けん》がおなかのなかにはいってしまいます。

（殺《ころ》しちゃいけないんだ！）

人形を通《とお》りこしておりてくれれば矢《や》を射《い》られます。

タタツタタンツタンタタツタタンツタ……

「カラス！」

とつぜん、〈樹《き》〉の葉《は》のざわめきをうちやぶって、ハシバミの声が鋭《するど》くひびきました。ポットさんのツタンダの音がぴたりと止まりました。それにあわせるように黒い霧《きり》のかたまりが、ぶわ

んとふくらんで止まりました。

〈樹《き》〉の、ちょうど人形がくくりつけられている高さのずっと左側《ひだりがわ》、闇《やみ》のなかから、ハシバミの姿《すがた》があらわれました。ゆっくりと人形のほうへ、幹《みき》の斜面《しゃめん》をまわっていきます。ホタルギツネの姿《すがた》は見えません。

グルル……ガルグ……

くぐもった声がきこえました。リュウがうなり声《ごえ》をあげたのです。

「カラス！」

ハシバミがまた呼《よ》びかけました。

ガルル……

のどになにかからまったような声をあげ、こんどはリュウは、ハシバミをおどかすように、からだをふりました。

「リュウはヒトのことばを話すんじゃなかったのか！」

「ハシバミの話では、二年前は、話したと……」

「なにをいっているのかわからんぞ」

「カラスってひとは、すっかりリュウになってしまったんじゃ……」

ポットさんとトワイエさんの声です。

「カラス……」

ハシバミがもういちど呼《よ》びかけました。けれど黒い霧《きり》のリュウは、人形のほうにむきなおると、のたりと幹《みき》をはいおりはじめました。ポットさんが足元《あしもと》においてあった弓《ゆみ》をとってかまえました。トマトさんとスミレさんが、アケビとスグリをしっかりつかまえ、うしろの木立《こだち》のほうへ後《あと》ずさりしました。

「カラス！」

リュウはまっすぐに人形のところまでおりました。そこで、かっと大きな口をあけたように、スキッパーにはみえました。黒い霧《きり》が形をそういうふうに変《か》えたのです。

「カラス！　カラス！」

ハシバミも人形に近《ちか》づきながら叫《さけ》びました。

「ハシバミ、近《ちか》づくな！　あぶない！」

弓《ゆみ》をかまえたポットさんの声。

「それを食べてはだめ！　それには、あぶないものが、しかけてある！」

ハシバミの声をきこうともせず、黒い霧《きり》は口をあけた形のまま、人形をその口のなかに入れようと、のたりとからだを進《すす》めました。

「食べると、死《し》ぬ！　食べないで！　カラス！　……おにいちゃん！」

つきささるようなハシバミの声でした。

おにいちゃんと呼《よ》ばれたとたん、リュウの輪郭《りんかく》がわあんとぼやけました。そしてゆっくりハシバミのほうへ頭をむけました。

「おにいちゃん！　わたし、ハシバミ！」

ハシバミの叫《さけ》ぶ声に、リュウはうなり声《ごえ》をあげました。

グル……ガル……

そのうなり声《ごえ》が、しだいに変《か》わっていくようでした。

「グ、ガルガイ、ガイガミ、……アイバミ」

「おにいちゃん！　それを食べると死《し》んでしまう！」

叫《さけ》びながら近《ちか》づこうとするハシバミを、声がさえぎりました。

「グ、く、くるな！　お、おれは、グ、グ、リュウだ」

「おにいちゃん！」

「おれは、グ、自分《じぶん》に、グ、ま、負《ま》けた、き、気持《きも》ちに、負《ま》けた。おれは、グ、リュウだ。死《し》ねるなら、おれは、グ、これを、食《く》う！」

ぼやけていた黒い霧《きり》がふたたびトカゲのような形になり、大きく口をあけました。

「おにいちゃん！　やめて！」

そのとき、うす暗《くら》がりになれた目に、とつぜんまぶしい光があらわれました。いつのまにかこっそり近《ちか》づいていたのです。ホタルギツネはハシバミの横《よこ》に立ちました。こんなに明《あか》るかったかと思うほど、光は線《せん》になって、リュウの前を流《なが》れました。ホタルギツネです。

しっぽは輝《かがや》いてみえました。

「カラス！　きくがよい。わたしは光《ヒカリ》ノ尾《オ》ノ神《カミ》だ」

「ヒカリノ、オノ、カミ……？」

おどろいたせいでしょう、リュウの霧《きり》の形《かたち》がゆれてぼやけました。

「たしかにおまえはおきてを破《やぶ》って〈樹《き》〉に登《のぼ》った。だがおまえは病気《びょうき》の母親《ははおや》のためにそうしたのだ。そうするにはつらい決心《けっしん》がいっただろう。おきてを破《やぶ》ればどんなにおそろしいことがあるか、それを考《かんが》えても登《のぼ》らずにはいられなかった。そうだな、カラス」

霧《きり》が、わあんとゆれました。

「だが、自分《じぶん》の気持《きも》ちに負《ま》けて、つい自分《じぶん》だけ腹《はら》いっぱい食《く》ってしまった。そのことをくやんでいるだろう。それなのにこんどは、死《し》んでしまおうというのか。それでは同《おな》じあやまちをくりかえすだけだ。また気持《きも》ちに負《ま》けようというのか。おろかなことだ。生きよ。人々《ひとびと》にみつがせたぶん、おまえが人々《ひとびと》につくせ。

いいか。ハシバミは、やがて人々《ひとびと》を導《みちび》く人物《じんぶつ》になるだろう。それを助《たす》けるのだ。

カラス、おまえの力《ちから》が必要《ひつよう》なのだ。」

黒い霧《きり》のあちこちで小さな渦《うず》がおこるようにみえました。

「だが、おれは、リュウだ」

「村にもどって人々《ひとびと》に伝《つた》えよ。旅《たび》に出ていたカラスがもどったとき、ハシバミと光《ヒカリ》ノ尾《オ》ノ神《カミ》がリュウを倒《たお》したのを見た、と。だがいつの日か、おきてを破《やぶ》ったカラスがリュウになったことも、それとして語《かた》り伝《つた》えよ。のちの人々《ひとびと》が、ひとときの自分《じぶん》の気持《きも》ちに負《ま》けないために」

「だが、光《ヒカリ》ノ尾《オ》ノ神《カミ》、おれは、リュウだ」

「カラス、おまえは人々《ひとびと》にリュウと呼《よ》ばれてリュウになったのだ。おまえの心が黒い霧《きり》を呼《よ》びよせ、リュウとなっているのだ。目をさませ、カラス。おまえは、人間だ！」

霧《きり》がはげしく渦《うず》まいて、ゆれました。

「おにいちゃん！」

スキッパーは叫《さけ》び声《ごえ》をあげそうになりました。ハシバミが霧《きり》のなかに、はいっていったのです。それはまるで、霧《きり》がハシバミをひとのみにしたようにみえました。けれどつぎの瞬間《しゅんかん》、黒い霧《きり》はとき放《はな》たれるようにひろがり、うすれ、〈樹《き》〉の幹《みき》にそって、昇《のぼ》って、消《き》えていきました。

巨大《きょだい》な〈樹《き》〉の、根元《ねもと》から幹《みき》にかけて傾《かたむ》きがなくなるあたり、つきでたこぶの上で、頭をかかえてうずくまる兄《あに》と、その上におおいかぶさる妹《いもうと》の姿《すがた》が見えました。

ホタルギツネがスキッパーのほうを見ると、スキッパーのからだのなかで、声がきこえました。

（スキッパー、よく知らせてくれたな。こんなことになるとは思わなかったよ。おれはもうちょっと光ノ尾ノ神《ヒカリオカミ》の役《やく》をするからな。あきたらもどってくるかもな。じゃ、あばよ）

ハシバミもこちらをむきました。声がきこえました。

（スキッパー、ありがとう）

ハシバミが、こそあどの森のみんなのほうに目をむけたとき、風景《ふうけい》がふっとゆがみ、まわりから広場《ひろば》にむかって強い風が吹《ふ》きつけました。つぎの瞬間《しゅんかん》、広場《ひろば》に白い霧《きり》が湧《わ》きあがり、それがすうっと消《き》えると、そこは——満月《まんげつ》に照《て》らされた広場《ひろば》でした。

その満月《まんげつ》が欠《か》けて細《ほそ》くなったころ、バーバさんはこそあどの森にもどってきました。

スキッパーは、この三ヵ月のあいだにあったことを、バーバさんにくわしく話しました。神話時代《しんわじだい》の子がやってくることがわかっていれば、大昔《おおむかし》の家の跡《あと》など見にいかなかったのにと、バーバさんはくやしがりました。でも、もうしかたがありません。ハシバミがいったこと、したことをくわしくききとって、ノートに書きこむことにしました。

ハシバミがいってしまってから、スキッパーがずっと気にしていたことがあります。剣《けん》のことです。戦《たたか》うということばさえ知《し》らなかった時代《じだい》に、剣《けん》という武器《ぶき》を送《おく》りこんだのは、正しいことだったのでしょうか。

ある日、そのことをバーバさんにたずねると、バーバさんはこうこたえました。

「《はじまりの樹《き》の神話《しんわ》》に、『剣《けん》がもたらされた』と書《か》いてあったかい？『金属《きんぞく》を手にいれた』と書《か》いてあっただろ。人々の暮《く》らしに大きな力になったのは、包丁《ほうちょう》やのこぎり、鍬《くわ》なんかの、生活の道具に使われる金属《きんぞく》だったんだ。もちろん剣はひとを殺す武器《ぶき》さ。けれど金属《きんぞく》がひとを殺《ころ》すんじゃない。ひとを殺《ころ》すのはひと、ひとの暮《く》らしを豊《ゆた》かにするのも、ひとさ。

それにね、剣《けん》はたしかに武器《ぶき》だけど、ひとを殺《ころ》したり傷《きず》つけたりしない剣《けん》もたくさんあったと、わたしは思《おも》うよ。とくにいままで伝《つた》わっているような剣《けん》は、ほとんどが儀式《ぎしき》のためのものだね。

たとえば、正しいことをするというこころざしをあらわすための剣《けん》とか、わがままな気持《きも》ちに負《ま》けないしるしの剣《けん》、というふうにね。

そうそう、こんどの旅《たび》でいろんな古《ふる》い剣を見てきたよ。錆《さび》の落《お》とし方《かた》も教《おそ》わったから、うちにある剣《けん》も調《しら》べてみよう」

バーバさんは、ギーコさんがモデルにした剣《けん》をとりだして、錆《さび》を落《お》としました。

「ほらね、この剣《けん》だって、ひとを殺《ころ》してない剣《けん》だね。刃《は》がこぼれていないだろ。なにかの気持《きも》ちをあらわす剣《けん》だったんだね」

そういったあとで、バーバさんは虫眼鏡《むしめがね》で剣《けん》の柄《つか》のあたりを熱心《ねっしん》に見ました。

「……スキッパー、こんなことをいっても、おまえは信《しん》じないだろうね。ここに、木と月の、ギーコさんのマークみたいなものが見えるんだよ。おかしいね」

笑《わら》いながらスキッパーを見たバーバさんは、スキッパーがあんまりおどろいているので、どうしたのだろうと思いました。

スキッパーは、つめていた息《いき》をふうとはきだすと、

「そうだったんだ」

と、いいました。

こそあどの森の物語⑥
はじまりの樹の神話
NDC913
A5判　22cm　305p
2001年4月 初版
ISBN4-652-00616-0

岡田 淳（おかだ・じゅん）

1947年兵庫県に生まれる。神戸大学教育学部美術科を卒業後、38年間小学校の図工教師をつとめる。
1979年『ムンジャクンジュは毛虫じゃない』で作家デビュー。
その後、『放課後の時間割』（1981年日本児童文学者協会新人賞）
『雨やどりはすべり台の下で』（1984年産経児童出版文化賞）
『学校ウサギをつかまえろ』（1987年日本児童文学者協会賞）
『扉のむこうの物語』（1988年赤い鳥文学賞）
『星モグラサンジの伝説』（1991年産経児童出版文化賞推薦）
『こそあどの森の物語』（１～３の三作品で1995年野間児童文芸賞、1998年国際アンデルセン賞オナーリスト）
『願いのかなうまがり角』(2013年産経児童出版文化賞フジテレビ賞)
など数多くの受賞作を生みだしている。
他に『ようこそ、おまけの時間に』『二分間の冒険』『びりっかすの神さま』『選ばなかった冒険』『竜退治の騎士になる方法』『きかせたがりやの魔女』『森の石と空飛ぶ船』、絵本『ネコとクラリネットふき』『ヤマダさんの庭』、マンガ集『プロフェッサーPの研究室』『人類やりなおし装置』、エッセイ集『図工準備室の窓から』などがある。

作者　岡田 淳
発行者　鈴木博喜
発行所　株式会社 理論社
〒101-0062　東京都千代田区神田駿河台2-5
電話　営業 03-6264-8890
　　　編集 03-6264-8891
URL　https://www.rironsha.com

2025年2月第19刷発行

装幀　はた こうしろう
編集　松田素子